Diplômé en Sciences économiques et détenteur d'un doctorat en Sciences religieuses de l'Université du Québec à Montréal, **Yves Bertrand** est chargé de cours au Département d'études anciennes et sciences des religions à l'Université d'Ottawa. En novembre 2000, sur une série de quatre volumes ayant pour titre générique *Le chant du signe : Les EMI, processus du mourir et voie mystique,* il a fait paraître un premier essai intitulé «Les expériences de mort imminentes : une introduction au phénomène des EMI» (Collection Mosaïque n° 010).

D1589743

Collection *Mosaïque*

Fondée par Aldina da Silva et André Martin, dirigée par Nelson Tardif, cette collection s'adresset à un lectorat général et comporte plusieurs séries telles que : *Bible, Foi et culture, Dialogue inter-religieux, Histoire religieuse, Judaïsme, Littérature mystique, Criminologie, Anthropologie, Philosophie.*

Déjà parus :

La symbolique des chiffres dans la Bible -I-
Daniel Jundt (n° 001, série **Bible**)

Ce que la Bible ne dit pas
Aldina da Silva, Nelson Tardif, coll. (n° 002, série **Bible**)

Le Christ noir en terre vaudou
Modèle haïtien d'inculturation
Jean Bacon (n°ˢ 003-004, série **Foi et Culture**)

Sectes et millénarismes. Dérives suicidaires et meurtrières
Élisabeth Campos (n° 005, série **Criminologie**)

Les saints et leurs reliques, une histoire mouvementée
Richard D. Nolane (n° 006, série **Anthropologie**)

Les clés de songe dans l'antiquité Proche-orientale
Aldina da Silva (n° 007, série **Anthropologie**)

La symbolique des chiffres dans la Bible -II-
Daniel Jundt (n° 008, série **Bible**)

L'Exode. Un rite de passage
Walter Vogels (n° 009, série **Bible**)

Introduction au phénomène des expériences de mort imminente
(EMI, vol. 1)
Yves Bertrand (n° 010, série **Psychologie et religion**)

La relation et son lieu. Introduction à la philosophie de la relation de
Nishida Jacynthe Tremblay (n° 011, série **Philosophie orientale**)

Les Pyramides d'Égypte en dix questions
Jean Revez (n° 012, série **Anthropologie**)

Mystique et médecine chinoise
Madeleine Gagnon (n° 013, série **Philosophie orientale**)

La voie du détachement (EMI, vol. 2)
Yves Bertrand (n° 014, série **Psychologie et religion**)

À paraître

Voir en soi l'autre absolu. La relation «Je-Tu» chez Nishida (Jacynthe Tremblay)
De la relation entre les religions issues d'Abraham (Martin Bauschke)
Les EMI, processus du mourir et voie mystique — vol. 3 et 4 (Yves Bertrand)

Yves Bertrand

Les expériences de mort imminente
II
Mourir :
La voie du détachement

Le chant du signe
Les EMI, processus du mourir et voie mystique

MNH / *Anthropos*

Nous remercions la SODEC pour son programme d'aide aux entreprises du livre et de l'édition spécialisée

Dépôt légal :
   Bibliothèque nationale du Canada, 2001
   Bibliothèque nationale du Québec, 2001

Tous droits réservés.
© Publications MNH inc./Anthropos
Tél./téléc. : (418) 666-8961 / (888) 666-8961
Cour. élec. : mnh@videotron.ca
Site WEB : http//www.mnh.ca

ISBN 2-921912-79-1 (MNH)
ISBN 2-922684-23-7 (Anthropos)

Distribution au Canada :
Distribution de livres UNIVERS
845, rue Marie-Victorin
Saint-Nicolas (Québec)
Canada G7A 3S8
Tél. (418) 831-7474 / 1 800 859-7474
Téléc. (418) 831-4021
Cour. élec. : d.univers@videotron.ca

Imprimé au Canada

AVERTISSEMENT

Nous parlons dans ce volume du premier visage sous lequel se présente la mort : celui de la destruction, de la souffrance et du dépouillement. Nous devons cependant faire ici une mise en garde que le lecteur devra garder à l'esprit tout au long de cet ouvrage. Nous travaillerons en effet sur la base de deux modèles théoriques, celui du processus du mourir et celui du parcours mystique. Ceci signifie en clair que nous parlerons toujours d'une expérience «idéale».

Cette expérience idéale ne correspond pas nécessairement à chaque cas particulier ni même à la majorité d'entre eux. Elle nous indique un cheminement que ne suivent pas nécessairement, et un terme que ne rencontrent pas forcément, tous les sujets réels. Ainsi, tant l'acceptation finale des mourants que l'«union transformante» chez les mystiques représentent moins un portrait véridique qu'un des aboutissements possibles – «idéaux» – des divers processus enclenchés.

L'«union transformante», pour ne prendre que cet exemple, n'est certainement atteinte que par une minorité des mystiques qui se sont engagés sur la voie du renoncement : elle n'en éclaire pas moins rétrospectivement toute la logique sous-tendant les efforts consentis. En ce sens, nous partons du point de vue que c'est tout de même en nous fondant sur un terme «idéal» que nous pouvons le mieux cerner le sens d'un phénomène.

Exprimé autrement, nous allons procéder comme si nous travaillions en laboratoire et que nous contrôlions toutes les conditions de l'expérimentation.

À Denis Savard et à Cécile

*

* *

La vie de l'homme est un phénomène aléatoire. Elle n'est phénomène monstrueux que par ses chiffres et son exubérance. Au demeurant, elle est si fugitive, si imparfaite, que l'existence d'êtres et leur déploiement est prodige. J'en fus déjà profondément impressionné lorsque, jeune étudiant en médecine, il me semblait miraculeux de n'être pas détruit avant mon heure.

La vie m'a toujours semblé être comme une plante qui puise sa vitalité dans son rhizome ; la vie proprement dite de cette plante n'est point visible, car elle gît dans le rhizome. Ce qui devient visible au-dessus du sol ne se maintient qu'un seul été, puis se fane… Apparition éphémère. Quand on pense au devenir et au disparaître infinis de la vie et des civilisations, on en retire une impression de vanité des vanités ; mais personnellement je n'ai jamais perdu le sentiment de la pérennité de la vie sous l'éternel changement.

C. G. Jung (*Ma vie*)

INTRODUCTION

Le mourir. Ce terme n'est même pas français. Il s'agit d'une traduction littérale de l'anglais *dying,* cet anglicisme venant nous rappeler le rôle précurseur du monde anglo-saxon en matière d'accompagnement (moderne) des mourants. Et c'est bien de ce mourir que nous allons parler ici. La mort ? Que pourrait-on dire de celle-là, sinon qu'elle se présente comme l'antithèse de la vie ? Bien sûr, cette affirmation manque de nuances. Vie et mort constituent les deux faces de la même existence, la première conduisant à la seconde et la seconde nourrissant la première.

Mais au-delà de cette querelle de mots, l'emploi du terme «mourir» en tant que substantif renvoie plus spécifiquement à une phase particulière de la vie – sa dernière et sa plus intense – qui ouvre, précisément, sur la mort... Une étape charnière où le sujet traverse une détérioration physique doublée d'un bouleversement intérieur sans précédent.

Une comparaison de type phénoménologique

Il y a plusieurs façons d'aborder le phénomène extrêmement complexe du mourir et de la mort. Nous pouvons considérer leurs aspects économique et social – le mot «défunt» ne provenant-il pas lui-même du latin *defunctus,* c'est-à-dire celui qui est démis de ses fonctions (sociales) ; ou encore l'aspect psychologique et individuel de la chose. Nous pouvons aussi envisager le côté spirituel et religieux du problème. C'est ce que nous tenterons de faire ici en soumettant la proposition suivante :

Nous pouvons comparer le processus du mourir à la première phase de la voie mystique occidentale – soit la phase «purgative» (purificatrice) – en ceci que tous deux participent d'une même logique symbolique, celle des détachements successifs. Dans les deux cas, également, le terme (idéal) est constitué par une mort symbolique à soi-même. Le contenu et la trajectoire des deux processus sont par conséquent similaires au niveau symbolique.

Ce que nous disons donc ici, c'est que nous allons procéder à une comparaison entre deux ordres de phénomènes que nous soupçonnons d'être liés au plan symbolique. Cette méthode comparative que nous utiliserons pour étayer notre hypothèse est par ailleurs héritière d'une longue tradition historique au sein des sciences religieuses. Comparer, cependant, ne consiste pas simplement à rapprocher deux objets pour mieux montrer leur(s) convergence(s). C'est tout autant démontrer en quoi ils peuvent diverger, à défaut de quoi nous risquons d'opérer une simple identification et d'oblitérer toute spécificité propre à l'objet (ou aux objets) considéré(s). Pour mieux nous exprimer, nous allons analyser le processus du mourir à partir des catégories de la mystique, ce qui nous permettra justement de souligner à la fois leurs points communs et leurs divergences (ou spécificités).

Nous partons donc de l'hypothèse que ces deux processus – soit celui du mourir et la voie mystique – s'articulent autour d'un axe commun : soit celui de la mort symbolique à soi-même. C'est ici qu'intervient le concept de détachement puisque c'est l'approfondissement de ce(s) dernier(s) qui conduira à cette mort symbolique, le détachement suprême.

La Triple voie mystique

Nous avons choisi comme point de référence le modèle classique (ou idéal-type) de la mystique chrétienne occidentale, c'est-à-dire celui de la Triple voie : purgative (ou purificatrice), illuminative et unitive, correspondant *grosso modo* aux trois stades de commençant, de progressant et de parfait. Il s'agit d'un modèle théorique élaboré par les mystiques eux-mêmes et par la communauté qui les supporte, et qui sera repris par plusieurs analystes. Nous avons adopté ce modèle pour trois raisons principales. La première est qu'il décrit la voie mystique en termes d'évolution et de processus graduel de transformation. Il s'agit par conséquent d'un modèle dynamique qui ne considère l'expérience en tant que telle que comme un moment à resituer dans le contexte plus global du vécu du sujet : soit l'après d'un avant et l'avant d'un après. Il nous semble en effet que parler d'une expérience mystique au singulier constitue en soi un non-sens. Comme le décrit si bien Michel de Certeau, elle constitue un mot à lire dans une phrase.[1] Se limiter au moment de l'expérience sans l'insérer comme moteur d'un travail de transformation ultérieur, c'est trahir son essence même – soit le dépassement du moi – pour tomber dans une fixation narcissique ou maladive du moi sur un objet dont il pleure la perte. La voie mystique consti-

---

1. Voir Michel de Certeau, «Mystique», *Encyclopaedia Universalis*, tome 12, 1985, p. 873-878.

tue au contraire un processus de dépouillement de soi-même de plus en plus profond et, de ce point de vue, de plus en plus mortifiant.

La seconde raison consiste dans la valeur potentiellement universelle de ce modèle. En effet, et malgré le fait que son vocabulaire ainsi que son interprétation soient imprégnées du christianisme occidental, il n'en demeure pas moins que sa signification et sa portée dépassent le cadre du dogme chrétien et qu'il pourrait être appliqué – tout en apportant les nuances qui s'imposent au niveau des concepts et de la terminologie[2] – aux sujets d'autres cultures ou de confessions différentes. En effet, ce modèle constitue avant tout une descriptiopn psychologique d'un itinéraire ou processus de transformation. Il ne signifie rien d'autre qu'un processus de dépouillement-détachement progressif, depuis la maîtrise des sens et des désirs jusqu'à l'obtention d'un nouvel état d'être, en passant par une transformation du mode de penser, de comprendre et d'agir. Nous retrouvons des éléments semblables dans toutes les grandes traditions mystiques et quelles que soient par ailleurs la terminologie employée ou les «ramifications» théologiques dont ils s'accompagnent.

En dernier lieu, son caractère tout à la fois simple, clair et souple en font un instrument de travail et de repérage qui, ce nous semble, se montrera très utile dès lors que nous l'appliquerons à notre objet, en autant, bien sûr, que nous l'utilisions de manière non rigide ou mécanique

---

2 Pour ne prendre qu'un exemple, l'illumination orientale ne correspond pas au même terme utilisé en Occident.

Une des notions essentielles contenues dans ce modèle est celle des degrés ou étapes à traverser. Cette notion – quoiqu'utilisant des termes différents – remonte aux premiers siècles de l'Occident chrétien et même au-delà. Dès la fin du IIe siècle, Clément d'Alexandrie parle dans ses *Stromates* des diverses étapes qui marquent le progrès de l'homme vers la perfection, étapes décrites comme des demeures : d'abord domine la crainte de Dieu, ensuite la foi et l'espérance, enfin la charité et la sagesse. Origène, son disciple, parle lui aussi de trois étapes : celle des «commençants» (qui doivent commencer à maîtriser leurs passions) ; celle des «progressants» (chez lesquels ces mêmes passions commencent à se dissiper) ; et, enfin, celle des «parfaits».

Tant Didyme l'aveugle que saint Basile (IVe siècle), ou encore Grégoire de Nazianze (IVe siècle), vont parler quant à eux de la purification nécessaire à l'illumination ainsi qu'à l'union à Dieu. C'est cependant surtout Denys (Ve siècle) qui va employer et populariser ces termes. D'après lui, la purification prépare à la connaissance de Dieu, l'illumination la communique et l'union la fait épanouir.

Chez les Latins, Augustin d'Hippone (Ve siècle) parle également de la purification des péchés, purification suivie de l'entrée dans la lumière et de l'union divine. Grégoire le Grand (VIe siècle) distingue lui aussi trois étapes : la lutte contre les péchés (chez les «commençants») ; la pratique des vertus (chez les «progressants») ; et, finalement, la vie contemplative (chez les «parfaits»). Tandis que Thomas d'Aquin va conserver cette terminologie des commençants,

11

progressants et parfaits – terminologie davantage liée à la pratique des vertus –, Bonaventure, au XIIIᵉ siècle, va reprendre, quant à lui, les termes de purification, illumination et union présents chez Denys – description plus «psychologique» – et il en fera une synthèse.

Toutes ces notions seront en fait utilisées de manière très souple et très libre durant tout le Moyen Âge, et ce jusqu'au XVIIᵉ siècle. Jean de la Croix (XVIᵉ siècle) lui-même l'utilise ainsi tout en y introduisant une étude approfondie des deux crises de transition : celles de la purification passive du sens et de l'esprit. À partir du XVIIᵉ siècle vont toutefois apparaître des sommes de théologie ascétique et mystique tendant à rigidifier le modèle ainsi qu'à le schématiser parfois jusqu'à frôler la caricature.[3]

L'accent sanjuaniste

Pour parler de la Triple voie mystique occidentale, nous nous référerons surtout à la doctrine de Jean de la Croix à cause de sa clarté, de sa finesse dans l'analyse psychologique, de sa souplesse ainsi que de son caractère synthétique.[4] Nous pourrions dire de cette doctrine qu'elle constitue à la fois l'héritière de la mystique médiévale (tout spécialement rhéno-flamande) et dyo-nisienne, la quintessence de la mystique occi-

---

3   Au sujet de la genèse et de la description de la Triple voie, voir entre autres le classique du P. R. Garrigou-Lagrange, *Les trois âges de la vie intérieure*, deux tomes , Paris, Cerf, 1938 ; ainsi que l'article d'Aimé Solignac, «Voies (purificative, illuminative, unitive)», *Dictionnaire de spiritualité ascétique et mystique,* tome 16, 1994, p. 1 200-1 215.

4   Jean de la Croix, *Œuvres complètes*, Paris, Cerf, 1990.

dentale et, en même temps, son expression la plus pure. Il s'agit là d'une pensée qui a fortement influencé ses successeurs jusqu'à nos jours et qui se prête, par ailleurs, davantage que certaines autres à un traitement œcuménique de par les convergences qu'on y peut déceler avec les spiritualités orientales.

En bref, nous pourrions décrire les trois stades de la voie mystique occidentale de la façon très schématique qui suit :

1. la voie purgative (purificatrice), où le sujet refrène et mortifie ses désirs et passions, tant sensuels que mondains ;

2. la voie illuminative, où se poursuit la purification des sens et que s'enclenche celle de l'esprit. Le travail s'effectue ici à la racine même des désirs et entraîne une modification progressive des manières de penser, de comprendre et d'appréhender. C'est durant cette étape que se produisent généralement les expériences extraordinaires de nature psychosomatique : visions, révélations ou autres, qui reflètent – au moins symboliquement – les transformations en cours ;

3. la voie unitive, finalement, marquée par le parachèvement de l'étape précédente ainsi que par un esprit d'abandon et d'amour tendant à se transformer en un *habitus* (un «pli de l'âme» en quelque sorte). À son terme, on parle de l'«union transformante».

L'apport original de Jean de la Croix réside dans son utilisation du concept de «nuit», qui représente les renoncements à effectuer ainsi que le vide où doit parvenir le mystique – ainsi que sa définition des deux crises de transition marquant le passage de la voie purgative à la voie illuminative (la nuit ou purification passive du sens), puis celui menant de la voie illuminative à la voie unitive (la nuit ou purification passive de l'esprit). Ce qu'il importe toutefois surtout de retenir, c'est que la Triple voie représente un processus de nature unitaire et d'autant plus prolongé qu'il creuse en profondeur, processus qui s'articule par ailleurs autour d'une dialectique activité-passivité. Jean de la Croix peut ainsi décrire tout l'itinéraire du mystique avec l'image poétique d'une nuit unique :

> Ces trois nuits ne forment en réalité qu'une seule nuit se composant de trois parties, comme la nuit naturelle. La première, qui est celle du sens, peut se comparer aux heures où nous perdons de vue les objets. La seconde, qui est la foi, est figurée par le milieu de la nuit, qui est totalement obscur. La troisième est représentée par l'aube, qui figure Dieu même, et cette partie de la nuit précède immédiatement la lumière du jour.[5]

C'est cette grille de lecture que nous utiliserons, en même temps que la logique qui la soutient. En effet, selon la doctrine sanjuaniste, la purification active du mystique consiste à éliminer tous les obstacles qui l'empêchent de s'unir à Dieu. La purification passive, quant à elle, vient parfaire la première : si elle est dite passive, ce n'est pas parce que le mystique n'y participe pas mais parce qu'elle

---

5   Jean de la Croix, *La montée du Carmel*, I,2,5.

consiste en épreuves et tourments censés être envoyés par Dieu. La purification active sert par conséquent à créer chez le sujet des dispositions de détachement et de renoncement que la purification passive viendra vérifier et approfondir.

C'est donc sur cette base que nous lirons le processus du mourir, soit celle d'un processus qui prend place dans la dynamique du vécu de la personne, des dispositions (ou rapport au monde) que celle-ci aura développées et, finalement, de la personnalité qu'elle se sera forgée.

Toutes les citations de Jean de la Croix sont tirées de ses *Œuvres complètes* parues en 1990 aux Éditions du Cerf. Les chiffres qui suivent le titre indiquent dans l'ordre le livre, le chapitre et le numéro (pour la *Montée du Carmel* et la *Nuit obscure*), et la strophe et le numéro (pour les *Cantique spirituel* A et B, et la *Vive flamme d'amour*, A et B).

CHAPITRE I

L'AMBIVALENCE SYMBOLIQUE
DE LA MORT

Que se passe-t-il donc chez une personne qui sent, ou qui sait, qu'elle va mourir ? Elle sait au moins une chose : elle va quitter le monde des hommes et des certitudes, celui du travail et des possessions, celui des relations avec les êtres aimés ou détestés, celui des espoirs et des échecs, celui des désirs et de l'inaccomplissement. Devant elle s'ouvre béant et inexorable le redoutable abîme sans fond du Mystère. Elle laisse le monde profane – de *pro* : devant, et *fanum* : le temple : c'est-à-dire ce qui ne relève pas du monde des dieux – pour pénétrer dans le royaume de la Mort, cette mort qui nous effraie en même temps qu'elle nous fascine. Elle provoque chez celui qu'elle convoque un sentiment ambivalent et troublant, celui du *fascinans-tremendum*, soit l'effroi sacré de l'être fini devant l'Infini, ce dernier fût-il en bout de souffle le Néant[6]. Peu importe, en effet, la nature de ce Mystère , une chose est sûre : il signifie avant toute autre chose la destruction de la vie et du mourant. La mort, c'est le dépouillement suprême.

Comme le Dieu de certaines religions, la Mort veut tout, réclame tout, prend tout : on ne peut se

---

6   Voir Rudolf Otto, *Le sacré*, Paris, Payot, 1949.

donner à elle à moitié. Entrer dans la mort, c'est pénétrer par excellence dans le domaine du sacré et des dieux, de ses terreurs primitives et de ses espérances les plus grandioses. Et, comme Dieu, la mort est un révélateur : elle est l'«heure de vérité». Elle constitue, enfin, le proptotype de tous les paradoxes : elle constitue l'ultime souffrance en même temps que la délivrance, tandis que diverses religions la présentent comme l'entrée dans la vie véritable et éternelle.

1. La mort-renaissance

Dans l'optique religieuse, la mort ne constitue pas qu'une simple destruction : elle signifie également une renaissance sur un plan plus élevé. Entendons-nous cependant sur ces termes. Dans le discours religieux, en effet, vie et mort concernent avant tout l'âme et non le corps. Bien sûr, on parle de paradis et d'enfers où l'âme séjournera après le trépas. De même, cet au-delà supraphysique est-il désigné par divers devenirs possibles : la résurrection ou la réincarnation, par exemple. Mais cet au-delà constitue également un au-dedans et l'éternité est moins à rechercher là-bas qu'ici, à l'intérieur de nous-mêmes… Marx se trompait donc quand il réduisait la religion à un opium du peuple (même si elle peut également jouer parfois ce rôle). Le but de la religion n'est pas d'endormir sous de fallacieuses promesses : il est d'éveiller. Il est d'amener le croyant à se voir et à se comprendre au-delà (ou au dedans) de ce corps et de ce monde physiques périssables. À cet égard, la mort physique, si tragique puisse-t-elle être, ne représente qu'un épisode dans l'existence immortelle de ce qu'on appellera l'âme, l'esprit, la conscience ou le Soi, c'est selon. Être (spirituellement) mort dans un corps bien vivant, voilà le drame. La seule vie véritable étant celle de l'âme – parcelle divine ou habitat du Divin, tout dépendant des doctrines –, il s'agit avant tout de la nourrir et de l'amener à maturité.

Cette âme morte peut toutefois renaître dès cette vie, si l'individu meurt à lui-même et à son être égocentré. L'«homme nouveau», pour reprendre l'expression de saint Paul, ne peut cependant advenir que si le «vieil homme» meurt. Ce thème de la mort du «vieil homme» a été longuement repris et développé par la mystique occidentale. Ainsi, pour Jean de la Croix :

> Il n'a donné pouvoir de devenir enfants de Dieu, c'est-à-dire de se transformer en Dieu, qu'à ceux qui ne sont pas nés du sang, c'est-à-dire des complexions et des compositions naturelles, et moins encore de la volonté de l'homme, ce qui comprend tout mode et toute façon de juger et de connaître par le moyen de l'entendement. À tous ceux qui sont nés ainsi il n'a pas donné pouvoir de devenir enfants de Dieu, mais à ceux-là seulement qui sont nés de Dieu, c'est-à-dire à ceux qui, ayant reçu une nouvelle naissance par la grâce après être morts à tout ce qui est du vieil homme, se sont élevés surnaturellement au-dessus d'eux-mêmes, pour recevoir de Dieu cette renaissance et cette filiation entièrement ineffable.[7]

---

7   Jean de la Croix, *La montée du Carmel*, II,5,5.

La renaissance est de cette manière dévolue à ceux qui sont morts à eux-mêmes. Mais non seulement le terme de l'itinéraire spirituel est-il désigné sous le nom de «mort mystique», mais encore le discours lui-même est-il centré sur une mort exemplaire : celle du Christ. Pour être plus précis, ce discours est centré sur sa vie et sa mort, celle-ci ne constituant que l'expression suprême de celle-là.[8] Jean de la Croix, toujours, a écrit ces quelques lignes qui forment une synthèse de toute la doctrine mystique chrétienne :

> Venons à la mort et à l'anéantissement spirituels. Nous voyons le Christ à sa dernière heure abandonné, anéanti dans son âme. [...] C'était le plus grand délaissement spirituel qu'il eût éprouvé dans toute sa vie. Aussi ce fut à ce moment qu'il réalisa la plus grande de ses œuvres, une œuvre supérieure à tous les miracles et à toutes les merveilles, soit du ciel, soit de la terre, qu'il eût opérées dans sa vie, à savoir la réconciliation du genre humain avec Dieu et son union avec lui par la grâce. Cette œuvre s'accomplit à l'heure et à l'instant où ce Seigneur était le plus anéanti en toutes choses [...] afin qu'il payât purement la dette de l'humanité et qu'il unît l'homme à Dieu [...].

> Tout cela s'est fait afin que le vrai spirituel eût l'intelligence du mystère du Christ, porte et voie pour nous unir à Dieu, et qu'il sût bien que plus il

8   Notons que nous retrouvons une conception similaire mais laïcisée dans certains courants du mouvement thanatologique contemporain, pour lesquels la mort constitue une école de vie, et pour qui «on meurt comme on a vécu».

s'anéantit pour Dieu quant à sa partie sensitive et quant à sa partie spirituelle, plus il lui est uni et plus il travaille à sa gloire. Quand il en sera venu à être réduit à rien, c'est-à-dire plongé dans la plus profonde humilité, alors l'union spirituelle entre Dieu et l'âme sera réalisée. Or, cet état est le plus élevé auquel on puisse parvenir en cette vie.

Il ne s'agit donc pas de jouissances, de goûts, de sentiments spirituels ; il s'agit d'une vive mort sur la croix quant au sens et quant à l'esprit, à l'intérieur et à l'extérieur.[9]

L'union spirituelle décrite ne survient dès lors que lorsque le sujet, sur le modèle du Christ, accepte sa propre mort (symbolique). Les purifications successives qui y conduiront, ainsi que l'ascèse dans son ensemble, sont ainsi considérées comme une «mortification» – au sens étymologique de faire mourir – de tout ce qui est désigné, dans un renversement de perspective, d'«œuvre de mort».

Bien sûr, le discours religieux fait également mention de divers paradis auxquels accèdent les âmes purifiées après la mort physique. Ce qu'il est important, toutefois, de saisir, c'est que la ligne de démarcation ne se situe pas ici sur la plan biologique, mais bien sur le plan spirituel. La vie éternelle, en effet, est déjà présente, en nous, et la mort du corps ne s'inscrit que comme un aléa dans le parcours de l'âme.

Le motif de mort-renaissance, soulignons-le, n'est pas spécifique au christianisme. Nous le retrouvons dans plusieurs mythes de l'Antiquité, où

_____

9   Jean de la Croix, *La montée du Carmel*, II,7,11.

la passion de divinités (Ishtar, Osiris, Attis ou Baldr) «qui meurent et ressuscitent indiquait aux hommes une des formes possibles de leur destin»[10]. De même, il constituait un des axes symboliques centraux des religions à mystère basées sur l'initiation.

Si un tel motif se montre si prégnant et récurrent, c'est peut-être parce qu'il puise sa force de l'inconscient lui-même. Marie-Louise von Franz, une disciple de Carl Jung, a ainsi analysé les cycles de rêves de personnes atteintes de maladies incurables. En suivant leur progression, elle a découvert que, si les premiers rêves du cycle insistaient sur l'image de la dévastation – surtout quand le sujet refuse d'admettre son état désespéré –, par contre un autre symbolisme prenait place vers la fin du cycle : soit celui de la survivance de l'essence de la personne sous une autre forme.[11] Nous n'entrerons pas ici dans le débat stérile quant à savoir si cela correspond à l'incapacité où se trouverait l'inconscient de concevoir la mort ou bien si, au contraire, cela relèverait d'une véritable connaissance. Peu importe, en effet, du moment que nous parvenions à identifier un motif symbolique identique tant dans l'inconscient que dans les mythes ou la pensée religieuse : pour revivre, il faut d'abord mourir.

Le mode d'expression de l'inconscient est le même que celui de la pensée mythique et religieuse. Il s'agit essentiellement d'un langage qui utilise le symbole, d'un mot grec voulant dire «signe». Con-

---

10 Jacques Lacarrière, *En suivant les Dieux : Le légendaire des hommes*, Paris, Lacombe, 1984, p. 267.

11 Marie-Louise von Franz, *Les rêves et la mort : Ce que nous apprennent les rêves des mourants*, Paris, Fayard, 1985.

trairement au concept, fruit du conscient analytique, le symbole demeure ouvert. Il renvoie sans cesse à quelque chose qui reste malgré tout voilé et qui dépasse mots et concepts. Il nous révèle ainsi certaines vérités sur l'être humain dont nous n'aurons jamais fini de cerner le sens. Le motif de la mort-renaissance n'est donc ni vrai, ni faux. Ou plutôt, l'appréhender sous cet angle revient à mal poser le problème. La question, en effet, est moins de savoir s'il révèle une vérité objective que s'il fait sens : «Le pendule de l'esprit oscille entre sens et non-sens, et non point entre vrai et faux.»[12]

Ce que suggère donc ce motif symbolique sur la nature de l'esprit humain, c'est que pour parvenir à un plan plus élevé, il faut d'abord mourir à l'ancien. Le Graal que cherche Gauvain, promesse de résurrection pour le royaume dévasté d'Arthur, ne lui apparaît ainsi que lorsqu'il frôle la mort, et ce après maintes aventures qui constituent autant de purifications ou d'ordalies successives. Métaphoriquement, affronter la mort c'est purger son être de ses attaches terrestres. Car s'engager sur la voie de la mort exige l'abandon, non seulement de ce que l'on a, mais de ce que l'on est. C'est le retour sans fard sur soi-même que préconisent les diverses traditions religieuses avant de s''pprocher du divin. Le parallèle que nous pouvons dresser ici entre la voie de Thanatos et la voie mystique se base par conséquent sur la dynamique ainsi que sur le processus qui s'y déploient : dans les deux cas, en effet, le sujet doit mourir à soi-même. Le sujet «doit» disons-nous car

---

12 Carl Jung, *Ma vie : Souvenirs, rêves et pensées*, Paris, Folio-Gallimard, 1991, p. 181.

s'il s'agit du terme «idéal», peu s'en faut que tous y parviennent. Ce que tous vont connaître, par contre, c'est le dépouillement. Bon gré, mal gré, le mourant ne franchira la porte qu'en abandonnant tout derrière lui. Il se montrera nu, c'est-à-dire sans masque ni attributs. Dans son très beau poème *Prière pour Marilyn Monroe*, Ernesto Cardenal écrit ainsi :

Seigneur,
reçois cette femme connue sur toute la terre sous le nom de Marilyn Monroe,
quoique ce ne soit pas là son vrai nom
(mais Toi, Tu connais son vrai nom : celui de la fillette violée à neuf ans
et de la vendeuse de magasin qui avait voulu se tuer à seize ans)
et qui se présente maintenant devant Toi sans aucun maquillage
sans son agent de presse
sans photographes et sans signer d'autographes,
seule comme un astronaute devant la nuit de l'espace.

Seigneur,
En ce monde contaminé de péchés et de radioactivité,
Tu ne tiendras pas rigueur seulement à une petite vendeuse de magasin. [...]
Elle ne fit rien d'autre qu'agir selon le script qu'on lui a donné   -
celui de nos propres vies –, et c'était un script absurde.[13]

13 (Trad. Pers.) Ernesto Cardenal, *Nueva antología poética*, Mexico, Siglo veintiuno editores, 1978, p. 88-89.

En quittant ce monde «contaminé de péchés et de radioactivité» qui la contamine elle-même, la vedette doit abandonner son image pour accéder à son vrai nom, c'est-à-dire son être véritable. Les termes mêmes du poème évoquent la contamination qu'engendre le monde terrestre (profane) et qui nous atteint tous ; Marilyn Monroe nous représentant tous (elle jouait le script de nos propres vies). Mourir, par conséquent, c'est se nettoyer de la «souillure» : c'est se purifier. La violence de la mort consiste, quant à elle, dans le dénudement et l'arrachement sans ménagement. Elle ne se montrera douce qu'à celui qui aura su la devancer en se libérant d'avance du monde et de ses illusions, en s'affranchissant de soi-même et en retrouvant un état d'être non «contaminé», non égocentré, non possessif.[14]

2. La mort-dépouillement

Nous disons souvent de quelqu'un qui décède après une douloureuse maladie qu'il a déjà fait son purgatoire. Derrière cette formule se profile en fait tout un univers de conceptions archaïques où la notion d'expiation, souvent inconsciente, affleure la surface des clichés. Comme si la personne, par la souffrance acceptée, s'était ainsi lavée des fautes qu'elle a commises dans sa vie. Inconsciemment, bien sûr, c'est la notion morale de péché qui resurgit, le péché qui éloigne de Dieu tandis que la mort qui s'en vient nous rapproche de lui dangereusement. Il ne faudrait toutefois pas considérer la question

---

14 Bref, à celui qui mourra (symboliquement) avant de mourir, comme dans l'exhortation de Mahomet : «Mourez avant de mourir !»

sous cet angle exclusif car il se cache, comme bien souvent, une vérité derrière le cliché.

En termes religieux, en effet, nous pouvons en l'occurrence envisager le travail de deuil de soi-même comme, effectivement, une «purification» de l'être profane et souillé («de péchés et de radioactivité»). Encore faut-il, cependant, que ce travail ait pu avoir lieu.

Les lignes qui précèdent ont déjà souligné l'existence d'un lien entre le processus du mourir et ce que nous appellerons pour le moment l'accomplissement religieux de l'être, en au moins un point commun qui les caractérise : à son terme idéal, le processus graduel de dépouillement de soi-même conduit à l'acceptation de ce qui est. L'être se soumet à l'inéluctabilité de sa finitude, finitude qui se situe dans l'ordre des choses. Nous aurions toutefois tort de croire, d'une manière qui serait idéaliste ou romantique, que, dans le cas du mystique comparé à celui du mourant, l'abandon serait facilité par une quelconque foi ou certitude. Il est, au contraire, caractéristique de la voie mystique que la révélation ne s'effectue que lorsque le sujet est parvenu à transcender sa propre angoisse devant le gouffre de l'inconnu.[15] L'exemple le plus parlant à cet effet est peut-être celui de Thérèse de Lisieux. Son cheminement spirituel se montre en fait doublement exemplaire puisqu'il atteint à son sommet à travers une longue et pénible maladie : la tuberculose. Disciple originale de Jean de la Croix, la «petite Thérèse», décédée à 24 ans, a connu non seulement les affres

---

15 Cette déréliction marque l'aboutissement du processus de dépossession, tant dans le cas du mystique que dans celui du mourant.

physiques et psychologiques de la maladie : elle a, surtout, intégré les doutes qui la tourmentaient à l'intérieur de la spiritualité des nuits. Elle décrit ainsi dans le Manuscrit «C» l'ébranlement de ses croyances alors que la mort, elle le sait, s'approche :

Je disais que la certitude d'aller un jour loin du pays triste et ténébreux m'avait été donnée dès mon enfance ; non seulement je croyais d'après ce que j'entendais dire aux personnes plus savantes que moi, mais encore je sentais au fond de mon cœur des aspirations vers une région plus belle. De même que le génie de Christophe Colomb lui fit pressentir qu'il existait un nouveau monde, alors que personne n'y avait songé, ainsi je sentais qu'une autre terre me servirait un jour de demeure stable. Mais tout à coup les brouillards qui m'environnent deviennent plus épais, ils pénètrent dans mon âme et l'enveloppent de telle sorte qu'il ne m'est plus possible de retrouver en elle l'image si douce de ma Patrie, tout a disparu !

Lorsque je veux reposer mon cœur fatigué des ténèbres qui l'entourent, par le souvenir du pays lumineux vers lequel j'aspire, mon tourment redouble ; il me semble que les ténèbres, empruntant la voix des pécheurs, me disent en se moquant de moi : «– Tu rêves la lumière, une patrie embaumée des plus suaves parfums, tu rêves la possession *éternelle* du Créateur de toutes ces merveilles, tu crois sortir un jour des brouillards qui t'environnent ! Avance, avance, réjouis-toi de la mort qui te donnera, non ce que tu espères, mais une nuit plus profonde encore, la nuit du néant.»[16]

Ce qui distingue essentiellement Thérèse des mourants ordinaires, ce n'est donc pas l'absence de doutes ou de désespoir : c'est, au contraire, l'appréhension de ces derniers comme faisant partie intégrante de la «nuit de la foi». On pourrait dire à juste titre : une foi épurée dont la force est fondée sur la faiblesse. On voit très bien à travers ce passage que le mystique doit abandonner jusqu'à ses croyances pour que puisse jaillir, selon ses propres termes, la véritable foi : c'est-à-dire l'abandon confiant de soi entre les mains d'un Inconnu absolu.[17] Cet abandon, qui s'effectue ici dans le contexte d'une maladie, n'est pas différent de celui qu'opèrent d'autres mystiques dans le cadre de leur ascèse. Le même point de non retour doit être atteint, et ce à travers les mêmes tourments.

Un vieil adage traduisait justement ce dont il s'agit par «*Per crucem ad lucem*» : parvenir à la lumière à travers (les tourments de) la croix. Nous aurions pu nous exprimer de façon légèrement différente : la voie mystique en étant une de dépossession graduelle et totale dans le désir de Dieu, la dernière possession à laquelle il faut renoncer est alors celle même de Dieu. C'est-à-dire que le mystique se doit, d'une part, de renoncer à posséder, en quelque sorte, l'objet de sa quête, et ce d'une façon pres-

---

16   Sainte Thérèse de l'Enfant Jésus, *Manuscrits autobiographiques*, Lisieux, Office central de Lisieux, 1960, p. 252.

17   Dans la perspective sanjuaniste, la foi réfère moins à des croyances qu'à une attitude intérieure (un «*habitus*» de l'âme) faite de confiance et d'abandon. Celui qui la possède est «appuyé sans aucun appui» (Jean de la Croix, *Poème* 12). Voir à ce sujet Dominique Poirot, «Introduction générale» aux *Œuvres complètes*, Paris, Cerf, 1990, p. 44.

que littérale : il doit renoncer à jouir de lui et à se chercher soi-même en lui. D'autre part, il doit même renoncer à le connaître déjà ; il ne doit même plus savoir ce qu'il est. La citation de Thérèse ci-haut est très claire là-dessus : elle délaisse les images que les croyances populaires de son enfance lui ont léguées, certes ; mais, en outre, elle remet en question leur bien-fondé même. Le véritable abandon, en effet, ne survient que du fond de la déréliction totale – déréliction semblable à celle du mourant et à celle du Christ sur la croix –, lorsque le mystique se sent lui-même abandonné par son Dieu. Ce n'est, ainsi, qu'au terme du processus que la «petite Thérèse» pourra retrouver la sérénité : l'acceptation non seulement de sa foi dénudée, mais également de ses doutes. Cette foi nouvelle ne nie pas ces doutes : elle les intègre dans un mouvement de lâcher-prise.

Ainsi en est-il du mourant, à cette différence près que la dynamique de dépossession qui est à l'œuvre a de bonnes chances de lui être plus étrangère puisque cette dernière vient se heurter de plein fouet au mode de vie préconisé par la société moderne. La mort-dépouillement paraîtra d'autant plus monstrueuse au mourant qu'il aura davantage épousé l'idéologie du culte du moi qui lui a été inculquée. Comme l'a bien fait ressortir Denis Savard, la mort, en effet, n'est pas simplement étrangère à notre mentalité : elle est une ennemie :

> […] C'est dans ce contexte des sociétés modernes industrialisées et sécularisées que s'est progressivement développée une conception de l'existence humaine – on a même parlé d'une «idéologie de la vie» – qui tend à la réduire à ses dimensions

économiques de production et de consommation et qui fétichise ses aspects les plus extérieurs et les plus matériels : l'accumulation de biens et la réussite financière par exemple, la jeunesse et la beauté physique, le quantifiable et le mesurable sous toutes ses formes, la vitesse et l'exploit sportif au risque d'y laisser sa peau…

Il y a plus. La logique même de cette vision des choses survalorise et stimule à l'excès notre côté le plus narcissique et le plus individualiste en multipliant les appels à l'excellence, à la performance, à la concurrence et à la croissance. […] Puisqu'elle est la fin du «moi», la mort est la fin de tout, elle est vraiment l'anti-vie qu'il faut oublier à tout prix.[18]

18 Denis Savard, «Et si la mort avait quelque chose à dire», *Religiologiques*, no 4, automne 1991, p. 149.

CHAPITRE **II**

LA VOIE DU MOURIR

Nous pourrions comparer le mourir à une ascèse forcée, en quelque sorte – ce qui ne signifie nullement, par ailleurs, que le mourant ne participe que d'une manière passive à la chaîne des événements. Il n'a, certes, aucune prise sur l'issue finale, mais c'est lui qui, en dernière analyse, déterminera les modalités de sa dernière étape de vie. Dès que le sujet apprend, en effet, que sa fin est probable, il entame une marche ardue où s'entremêlent confusément toute une gamme de sentiments, d'émotions contradictoires et de questionnements. Il pourra demeurer jusqu'au bout dans la négation ou la révolte, tout comme il pourra accéder à une certaine sérénité : tout dépendra ici d'une foule de facteurs, dont les moindres ne sont certes pas la structure de sa personnalité et son vécu antérieur.

1. Mourir à la première personne du singulier

Nous allons maintenant nous pencher sur la dynamique de dépossession qui se déploie à l'intérieur du processus du mourir proprement dit. Nous allons commencer par l'extrait d'un article où l'auteure, Danielle Perron, décrit brièvement les différentes phases qui l'ont conduite au seuil de la mort :

À vingt-trois ans, je vivais la vie normale d'une étudiante universitaire graduée, et en recherche d'emploi. Je devais subir une intervention chirurgicale banale : l'ablation d'un kyste ovarien. On m'avait dit que je séjournerais environ une huitaine à l'hôpital. Après quelques jours, j'ai eu une montée de fièvre accompagnée de douleurs persistantes qui s'accentuaient rapidement. Finalement, au bout d'une semaine, je ne pouvais plus bouger sans ressentir une douleur intolérable. J'étais très amaigrie et mon abdomen était excessivement gonflé. Ma respiration était rapide, mon pouls élevé. Évidemment, je ne mangeais plus. J'avais peine à voir, à entendre, et je ne parvenais plus à parler. La peur s'installait. Je ressentais l'affollement autour de moi. Je savais que j'allais mourir, mais je ne voulais pas. C'était la révolte : j'allais mourir, mais je voulais vivre ! Sortir de mon corps, tant était insupportable et inadmissible la souffrance physique et morale.

Lors de mon transfert d'une chambre à une autre, j'ai entendu une infirmière dire : «Elle ne passera pas la journée.» Ceci confirmait mes craintes. Graduellement, des idées de suicide me sont venues, mais je me trouvais dans l'incapacité physique de poser ce geste.

Une péritonite s'était déclarée, et mes poumons étaient écrasée sous le poids de l'infection. L'espoir a resurgi quand ma mère m'a convaincue que j'allais m'en tirer avec une nouvelle opération. Ce fut cependant après l'opération une amère déception. Je ne survivais que grâce à de nombreux appareils. Non seulement ne sentais-je aucune amélioration de mon état, mais de plus je sombrais graduellement dans une sorte de demi-conscience. Ma réalité était devenue uniquement intérieure, et le désespoir s'était installé.

Suite à une paralysie, j'en suis venue à l'évidence, après une longue lutte d'une trentaine de jours, que mon corps ne pouvait plus vivre. Je me suis abandonnée alors, croyant que j'allais tomber dans un trou et dans l'oubli : mourir devenait le seul choix possible.

Un immense sentiment de paix et de sérénité m'a alors envahie. J'avais fait de mon mieux. La mort était là et je l'acceptais.[19]

Nous pouvons décerner à travers ce récit plusieurs étapes que le sujet traverse :

1. il y a tout d'abord la prise de conscience progressive de son état ;

2. une fois que la gravité de ce dernier a été réalisée, des sentiments de peur et de révolte s'installent ;

3. ces mêmes sentiments culminent dans des idées suicidaires – une sorte de fuite en avant – mais l'espoir subsiste toujours ;

4. et ce n'est qu'après que l'ultime chance de s'en sortir se soit évanouie que l'auteure sombre dans un état dépressif («le désespoir s'était installé») ;

5. finalement, le sujet s'abandonne et accepte son sort : il accède enfin à la sérénité.

---

19 Danielle Perron, «Une expérience bouleversante», *Frontières*, vol. 8, no 3, hiver 1996, p. 40-41.

Nous nous pencherons dans un prochain ouvrage sur la suite de ce témoignage, l'auteure ayant vécu en sixième étape, si l'on peut dire, une expérience de mort imminente.[20] Nous voulons déjà, cependant, dans une courte parenthèse, proposer une remarque : l'auteure affirme expressément que tout espoir de s'en sortir l'avait quittée (et ce, par conséquent, avant l'EMI qu'elle fera). Or, c'est après la reconnaissance de la fatalité seulement que surviendra l'EMI. Nous trouvons ici une parfaite illustration de ce qu'avance le philosophe Michel Hulin à propos de l'inadéquation de l'hypothèse psychiatrique de la dépersonnalisation[21]. Selon cette dernière, en effet, on pourrait envisager l'EMI comme «une sorte d'autoanesthésie psychique destinée à éviter tout contact prolongé avec une réalité extérieure aussi insoutenable qu'impossible à maîtriser»[22] :

> Une telle interprétation nous paraît à la fois très proche et très éloignée de la vérité. Sur le plan psychologique sa cohérence est indéniable. Aucun autre schéma explicatif n'avait jamais été proposé qui fasse ainsi apparaître le dédoublement du moi, la distorsion du temps vécu et la vision panoramique comme autant de phases successives d'une seule et même expérience, ou d'aspects corrélatifs d'une seule et même structure mentale. Mais

---

20 L'intérêt de ce témoignage, en effet, réside dans le fait que l'auteure a vécu une EMI après avoir parcouru les différentes phases du processus du mourir

21 Hypothèse défendue par Russell Noyes : voir Yves Bertrand, *Les Expériences de mort imminente : Une introduction au phénomène*, Beauport, MNH, 2000.

22 Michel Hulin, *La face cachée du temps*, Paris, Fayard, 1985, p. 58.

son talon d'Achille est le suivant : l'impossibilité éprouvée par le sujet d'admettre l'imminence de son propre trépas y est implicitement considérée comme un refus, certes en lui-même explicable et excusable, de voir la réalité en face.

La régression dans les fantasmes ne serait alors que la suite logique de cette attitude initiale de fuite et d'évitement. Or tout indique, au contraire, que le processus de dépersonnalisation ne s'enclenche qu'au sortir d'une phase critique où la victime de l'accident s'est reconnue perdue et a renoncé à toute lutte. Mais, à cet instant précis, elle ne s'est pas encore dédoublée. C'est elle-même, et non son double ou son sosie, qu'elle voit dans une situation désespérée. Le dédoublement n'intervient donc pas dans le prolongement direct d'un refus viscéral de périr.[23]

Notons par ailleurs un second point, très important pour notre propos, et qui décrit le déroulement du processus en cours : le sujet commence par perdre progressivement l'usage de ses sens, et ce jusqu'à connaître la paralysie de son corps ; ensuite, l'auteure déclare elle-même que le centre de gravité s'est déplacé en elle-même : «Ma réalité était devenue uniquement intérieure». À mesure, par conséquent, que s'estompent les sens et la jouissance du corps, les *stimuli* extérieurs disparaissent. Le sujet sombre dans un état de semi-éveil, et ce qui lui reste de conscience est totalement tourné vers l'intériorité.

---

23 *Ibidem*, p. 59.

L'auteure ne décrit malheureusement pas ce qui se produit alors en elle: pense-t-elle à ses proches qu'elle va bientôt quitter ? Fait-elle le bilan de sa vie ? Une seule chose est certaine : elle n'imagine aucune survie possible pouvant servir d'exutoire à son angoisse. Sa reddition s'avère sans conditions : «Je me suis abandonnée alors, croyant que j'allais tomber dans un trou et dans l'oubli». Or, cette soumission ne conduit pas au désespoir : tout au contraire, elle l'en libère. La capitulation entraîne des sentiments de paix et de sérénité.

Tolstoï décrit une évolution similaire dans sa nouvelle très connue *La mort d'Ivan Illitch*.[24] À l'instar de ce qui s'est produit dans le cas que nous venons de citer, le héros de Tolstoï se refuse tout d'abord à croire que toute lutte est perdue. Ses proches, à l'exception d'un vieux serviteur, lui cachent la vérité sur le caractère incurable de sa maladie. C'est par lui-même qu'Ivan Illitch la découvrira peu à peu. Il sent bien que la mort le réclame, de par le dépérissement de son corps et de ses facultés que force lui est de constater, mais il s'y refuse. Il tient à sa vie tout comme il tient à ses possessions matérielles et à sa carrière, et tout comme il tient à l'image de lui-même qu'il a su construire et projeter. Il est tourmenté par la douleur, par la peur, la colère et une angoisse informe qui ne lui laissent aucun répit :

> Il se démenait comme le condamné à mort dans les bras du bourreau, sachant pertinemment que rien ne pouvait le sauver. Et, à tout instant, il sentait qu'en dépit de ses efforts, le terme épouvanta-

24   Léon Tolstoï, *La mort d'Ivan Illitch*, Paris, Le livre de poche.

ble était de plus en plus proche. Il était effrayé qu'on l'introduisît dans le sac noir et plus encore de ne pas réussir à y pénétrer. Et c'était la conviction d'avoir bien vécu qui l'empêchait de le faire.

Son propre acquittement le rivait à la vie et le faisait souffrir.[25]

Nous pourrions dire que, si ce qui retenait à la vie l'auteure de l'article citée un peu plus haut était sa jeunesse – elle n'a pas assez vécu –, ce qui lie Ivan Illitch, comme le dit Tolstoï, est son propre acquittement – il a trop bien vécu. Car Ivan Illitch fait partie de ces êtres qui sont satisfaits d'eux-mêmes, et il ne se remet pas (encore) en question. Certes, il a bien vécu, à la lettre : son existence fut terne et sans orages, sans courages non plus, et remplie de plaisirs mondains. Non, Ivan Illitch ne peut renoncer à tout cela. Il avait choisi la voie de la facilité et de l'avoir et voici que la mort, dans son impertinence, lui souffle méchamment qu'elle va tout lui retirer ! Il souffre donc et se trouve coincé devant ce dilemme : ou bien continuer de lutter et de souffrir tout en gardant la face, ou bien renoncer à tout ce qu'il possède, y compris ce qu'il a de plus précieux : sa bonne conscience, et connaître ce qu'il n'a jamais connu : la paix, fût-elle celle des cimetières. Ivan Illitch résiste jusqu'à son dernier souffle, et c'est alors que se produit le déclic :

Oui, oui, tout «n'était pas ça», mais peu importe se dit-il. On peut encore arranger les choses, on peut faire que ce soit «ça»... Mais qu'est-ce donc ça ? [...] Ivan Illitch venait juste de choir dans le

25 *Ibidem*, p. 88.

sac, de découvrir la petite lueur, de se rendre compte que sa vie avait été manquée, mais qu'on pouvait encore arranger les choses. [...]

Il cherchait son épouvante passée devant la mort et ne la trouvait plus. Où était-elle, la mort ?... Et qu'était-elle ?

Plus de terreur, car il n'y a plus de mort.
Une grande lumière en guise de mort.[26]

On remarquera tout d'abord l'apparition du motif de la mort-renaissance à la toute fin du texte, alors que nous assistons à un renversement de perspective survenant au moment même où Ivan Illitch bascule dans le «sac noir» : la mort se transforme en vie, et les ténèbres en une «grande lumière». Les deux visages de la mort coïncident enfin. On constate ensuite, et ce tout au long de la nouvelle, un déplacement lent mais incontournable du centre de gravité de la sphère des sens à celle de l'intériorité, jusqu'à ce qu'Ivan Illitch, acceptant finalement de retirer son masque, trouve la paix, *meure* en paix. Le dépouillement s'effectue par conséquent, comme pour notre victime de la péritonite :

1. d'abord du plus extérieur (isolement et incapacité de jouir des biens matériels)
2. à la frontière de l'extérieur et de l'intérieur (perte graduelle de la jouissance du monde extérieur à travers les perceptions sensorielles),
3. jusqu'à l'intérieur, enfin (d'abord les remises en question, puis la tombée dans la vérité de son être).

---

26 *Ibidem*, p. 89-90.

Ce dont il est question ici, c'est donc de trois types de détachements auxquels a à faire face le mourant : détachement du monde, détachement des sens, et détachement de soi-même. Or, nous pouvons établir ici une analogie entre ces trois détachements et ce que Jean de la Croix appelle les trois ennemis à vaincre[27] : le monde, la chair (ou la sensualité) et le démon (c'est-à-dire ce que nous pourrions interpréter très librement comme une représentation symbolique de tous les obstacles qui se lèvent de l'intérieur même de la personne : rancœurs, désirs inassouvis, révolte, désespoir et autres). En effet, pour Jean de la Croix, le démon représente les tentations, ruses et illusions qui guettent le mystique lors de son parcours, et qui exerce son pouvoir à travers l'attachement aux choses temporelles et charnelles (*La montée du Carmel*, I,2,2), et qui se fortifie des deux autres ennemis : soit le monde et la chair (*Cantique spirituel* B, III,9 et *Cantique spirituel* A, III,8).

2. Le processus psychologique du mourir

Avant d'entreprendre notre parallèle entre le mourir et la «purification» mystique, il nous reste dans un premier temps à cerner davantage la nature

---

27 «Enfin, comme l'âme se purifie des affections de l'appétit sensitif, elle acquiert la liberté de l'esprit, qui la met en possession des douze fruits du Saint-Esprit. De plus, elle s'affranchit merveilleusement du pouvoir de ses trois ennemis : le monde, le démon et la chair, car une fois que le goût sensitif cesse de s'exercer sur les choses créées, le démon, le monde et la sensualité se trouvent sans forces contre l'esprit .» (Jean de la Croix, *La nuit obscure*, I,13,11)

du processus psychologique du mourir lui-même. Nous venons de le constater à l'aide de deux exemples : lorsqu'une personne se trouve confrontée à l'échéance probable de sa mort prochaine, un processus psychologique peut aussitôt s'entamer. La question qui se pose alors à nous est de savoir de quelle mort nous parlons : est-ce de la mort réelle ou bien de son spectre ?

2.1 Quelle mort ?

La mort – phénomène physiologique et biologique – constitue un concept qui recouvre dans les faits toute une série de morts partielles se succédant dans le temps, la mort clinique, par exemple, précédant la mort biologique et y conduisant si rien ne peut être fait pour l'en empêcher. Or, nous remarquons que le processus psychologique du mourir, quant à lui, peut s'enclencher alors même que le diagnostic posé serait non fondé. C'est l'ébranlement psychologique qui importe ici.

Ouvrons ici une seconde parenthèse qui viendra conforter, croyons-nous, cette idée que c'est bien la confrontation psychologique avec la mort qui constitue le véritable élément déclencheur. Nous voulons parler de certains récits d'EMI – considérés ici seulement en tant que révélateurs d'un «fantasme» de mort – et qui nous sont rapportés par des sujets qui, bien qu'ayant frôlé une mort jugée inévitable, l'ont néanmoins évitée sans dommages majeurs tout en connaissant divers phénomènes reliés à l'EMI (sensation de quitter son corps, rencontre d'êtres chers décédés ou révision de sa vie). Nous avons bel et bien affaire ici à une confrontation psychique, sinon avec la mort (physique), du moins avec la Mort, c'est-à-dire avec la représentation que l'homme s'en fait. Nous parlons donc de deux choses interreliées mais néanmoins distinctes : soit la mort (phénomène biologique) et le rapport ambigu qu'entretient l'homme avec elle sur les plans psychologique et imaginaire. Bien sûr, nous pourrions recourir encore une fois à la théorie de la dépersonnalisation mais, comme nous l'avons déjà souligné dans notre première parenthèse, celle-ci demeure insatisfaisante.

Il en est ainsi, par exemple, du cas célèbre d'Albert Heim, un alpiniste et géologue suisse du dix-neuvième siècle qui fut victime d'une chute en montagne. Durant le court intervalle de temps entre le début de la chute et son arrivée indemne au sol, Heim eut l'impression de revoir sa vie et de ne plus faire qu'un avec le ciel :

> Je filai à la vitesse du vent vers une pointe rocheuse à ma gauche, vins rebondir contre elle et basculer par-dessus, planai quelque vingt mètres dans les airs pour finalement atterrir sur une plaque de neige au pied de la paroi rocheuse [...] Ce que j'ai pensé et ressenti durant ces cinq ou six secondes, je ne parviendrais pas à l'exprimer en dix fois plus de minutes. Tout d'abord, j'examinai la situation : «La pointe rocheuse par-dessus laquelle je vais être précipité se prolonge visiblement vers le bas par une paroi verticale. Toute la question est de savoir s'il y a encore de la neige en bas. Si oui, je pourrai m'en tirer. S'il n'y en a plus, je vais être précipité dans les éboulis tout en bas et alors, avec une telle vitesse de chute, la mort est inévitable. Si, arrivé

en bas, je ne suis pas mort ou inconscient, je devrai prendre aussitôt le petit flacon d'éther de vinaigre qui se trouve dans la poche de ma veste et m'en mettre quelques gouttes sur ma langue.» Je pensai aussi à jeter mes lunettes pour éviter que des éclats ne viennent blesser les yeux mais j'étais à ce point secoué et ballotté par la chute que mes mains n'y parvinrent pas [...]

J'assistai à la scène où mes proches apprenaient la nouvelle de ma mort et je les consolai en pensée. Ensuite, je contemplai à une certaine distance, comme si elle se déroulait sur une scène, l'ensemble de ma vie passée. Tout était transfiguré, dépourvu d'anxiété et de souffrance... Je me sentis de plus en plus entouré par un ciel d'un bleu splendide, parsemé de petits nuages roses et surtout d'une tendre nuance de violet. Au moment où je pris mon vol dans l'air libre, je me sentis glisser en lui d'un mouvement doux et planant, sans aucune souffrance, tandis que je voyais s'approcher le champ de neige sous mes pieds... Alors je perçus un choc sourd et ce fut la fin de ma chute.[28]

On reconnaît bien ici les trois phases de ce que les psychiatres Noyes et Kletti – qui se sont d'ailleurs inspirés de ce cas – appellent le processus de dépersonnalisation : celui de la «dépersonnalisation» proprement dite (absence de souffrance, distorsion du temps et sensation de décorporation, sensation qui semble ici, toutefois, absente), ensuite celui de l'«hypervigilance» (concentration de la pensée et des

---

28 Albert von St. Gallen Heim, «Notizen über den Tod durch Absturz», *Jahrbuch des Schweitzer Alpenclub*, no 27 (1892), p. 327-337 ; traduit et cité par Michel Hulin, *op. cit.*, p. 53.

réflexes sur le seul objectif de la survie), et, finalement, le stade «mystique» (impression de fondre dans le ciel). Qu'il nous suffise ici de signaler que c'est le danger, l'étreinte, de la mort plutôt que la mort elle-même qui a déclenché le mécanisme psychique. Il nous faut donc supposer que la vie psychique – au moins pour la commodité de l'analyse – doit être distinguée de ce qui se passe au plan physiologique. Le cas que nous venons de citer montre bien que, quelle que soit par ailleurs la réalité objective des faits, la *conviction* psychologique de sa mort prochaine et que l'on estime – à tort ou à raison – inévitable entame un processus psychique similaire, du moins à ses débuts, à celui que vivent les mourants véritables (que ce soit sur le mode des étapes psychologiques du mourir, celui de l'EMI, ou encore d'une combinaison des deux[29]). Nous parlions ici d'un cas particulier : celui d'un alpiniste ayant vécu une EMI lors d'une chute qu'il croyait être fatale. Nous aurions pu toutefois parler plus largement de toute personne qui se croit atteinte d'un mal mortel.[30]

---

29 Nous supposons en effet – et ceci restera à démontrer – que l'expérience de mort imminente constitue une modalité particulière du processus psychologique du mourir ou, pour mieux dire, que la dynamique (symbolique) présente au sein de l'EMI est celle-là même que nous retrouvons dans le processus du mourir (seules les modalités étant différentes).

30 Le même raisonnement, *mutatis mutandis*, vaut également pour certaines expériences de mort symbolique vécues cette fois sur un plan spécifiquement religieux ou mystique. Ainsi, le sage hindou Ramana Maharshi obtint-il l'illumination – c'est-à-dire ici la certitude de la non-mort et la connaissance du «Soi» – alors que, de manière impromptue, l'assurance

2.2 De quelques modèles théoriques

Si la mort – ou, pour employer un anglicisme plus précis : le mourir – correspond à un processus biologique, elle s'accompagne également d'un processus psychologique constitué de plusieurs étapes plus ou moins chronologiques qui se recoupent et s'interpénètrent fortement entre elles. Avant, par conséquent, de nous pencher sur l'aspect plus religieux de la chose, nous allons regarder brièvement trois modèles qui ont été proposés de ce dernier.

Le modèle des étapes de Kübler-Ross

La psychiatre suisse-américaine Élisabeth Kübler-Ross, une pionnière du mouvement d'accompagnement des mourants, a appliqué au mourir le modèle (psychologique) du processus d'ajustement à la perte.[31] Souvent commenté et parfois critiqué, le modèle de Kübler-Ross n'en demeure pas moins utile en plus d'avoir suscité de nombreuses études psychologiques sur la période qui précède la mort.

(fausse) qu'il allait bientôt mourir le submergea. Il ne mourut pourtant que plusieurs dizaines d'années plus tard d'un cancer. Voir à ce sujet Henri Le Saux, *Souvenirs d'Arun™chala*, Paris, Éditeur Épi, 1978, p. 37-38.

31 Élisabeth Kübler-Ross, *Les derniers instants de la vie*, Genève, Labor et Fides, 1975. Elle déclarait ainsi en 1981 : «Je n'ai pas appris ceci [les cinq étapes du mourir] des patients en phase terminale. Je l'ai appris à l'occasion de toutes mes années de travail avec des aveugles et des patients handicapés ou déficients.» : «Playboy Interview : Elisabeth Kubler-Ross», *Playboy*, vol. 28, no 5, p. 76. Cité dans Jean-Luc Hétu, *Psychologie du mourir et du deuil*, Montréal, Méridien, 1989, p. 138.

En reprenant le titre d'un de ses ouvrages, nous pourrions résumer sa pensée en disant que le mourir constitue la dernière étape de la croissance.[32] Peut-être devrions-nous nuancer cette affirmation : le mourir constitue la dernière *opportunité* d'une croissance.

Ainsi considéré, le mourir ne représente plus simplement un événement négatif, de par la destruction qu'il annonce et amorce : il constitue également et avant tout une dernière occasion offerte à la personnalité de se parfaire, au sens étymologique d'amener à son plein développement. Comme nous le constaterons bientôt, le travail sur soi qu'il enclenche (ou peut enclencher) en est un de mise en distance, de réévaluation et d'intégration de la personnalité.

Selon, donc, le modèle de Kübler-Ross, le mourant va parcourir cinq étapes :

1. la négation, le refus et l'isolement ;
2. la colère ;
3. le marchandage ;
4. la dépression ;
5. et, enfin, le stade final (et idéal) de l'acceptation.

Notons que ce dernier terme, surtout en français, demeure ambigu. Celui de sérénité serait peut-être plus approprié. Quoiqu'il en soit, il semble ressortir de ce modèle une certaine norme, celle de la «bonne mort» laïcisée. Or, il s'en faut de beaucoup que tous les mourants y parviennent, et même que tous connaissent une évolution similaire. Comme le souligne par ailleurs Jean-Luc Hétu – outre sa por-

---

32 Élisabeth Kübler-Ross, *La mort : dernière étape de la croissance*, Montréal, Québec/Amérique, 1981.

tée relative – cette théorie possède plusieurs lacu-
nes: sa faible valeur prédictive ; la non-identifica-
tion des différents types de pertes qu'a à affronter le
mourant (perte d'identité, perte de relations et perte
de contrôle), et, partant, les différents niveaux d'évolution du mourant ; sa méthodologie non scientifique ; ou encore la mise en veilleuse de facteurs im-
portants, tels le sexe, l'âge ou la personnalité des
sujets. [33] Malgré tout, ce modèle a le mérite de décrire le mourir comme un processus qui va osciller
constamment entre la révolte et l'acceptation.

Le modèle typologique de Kastenbaum et
Aisenberg[34]

Contrairement au précédent, ce modèle privilégie une typologie des réactions survenant lors du
mourir. Les mourants maintiendraient ainsi quatre
styles principaux durant tout leur cheminement :

1. avoir peur ;

2. affronter (la mort est un ennemi à vaincre) ;

3. faire son deuil (le mourant tente de s'ajuster aux
pertes qui surviennent) ;

4. participer (le mourant tente d'intégrer le mourir
à son vécu).

Comme le souligne Hétu, encore une fois, ces
quatre types de réactions peuvent être mis en paral-

---

33 Jean-Luc Hétu, *op. cit.*

34 R. Kastenbaum et R. Aisenberg, *The Psychology of Death*,
    New York, Springer, 1972 ; synthèse dans Jean-Luc Hétu,
    op. cit.

lèle avec le modèle en étapes de Kübler-Ross. En outre, l'idée de séquence (des réactions) – et dès lors celle d'un processus d'adaptation – est suggérée par plusieurs commentaires des auteurs eux-mêmes.

Le modèle de la ruche

Le mourir, si on suit ce modèle, consiste moins en un cheminement constitué d'étapes que dans un «bourdonnement» où il y a :

Un va-et-vient constant entre le refus d'admettre et l'espoir, et sur ce fond, le surgissement et le retrait de l'anxiété, de la terreur, de l'acceptation et de la soumission, de la rage et de l'envie, de la perte d'intérêt et de l'ennui, de la stimulation, de la provocation et même du désir de mort – tout ceci dans un contexte de confusion et de souffrance.[35]

Or, comme le note Hétu, ces états intellectuels et affectifs, plus ou moins durables, s'enracinent dans la personnalité des sujets.

Ces divers modèles paraissent davantage complémentaires que contradictoires en ceci que, si le cheminement du mourir semble bien constituer un processus, par contre les étapes qui caractérisent celui-ci ne sont ni nettement tranchées, ni linéaires. À l'intérieur même de chacune des étapes, en outre, peuvent coexister toute une gamme de sentiments, d'émotions et de réflexes contradictoires, la notion même de stade dominant ne constituant qu'une approximation d'un état volatile. Et, surtout, *tout le*

---

35 E. Shneidman, *Deaths of Man*, New York, Quadrangle, 1973, p. 6-7 ; cité dans Hétu, *op. cit.*, p. 167.

processus sera conditionné par la personnalité des sujets eux-mêmes, tout spécialement dans le rapport à la perte qu'ils auront préalablement développé. La mort (ou le mourir) représente en effet la confrontation ultime et absolue avec soi-même mais, en même temps, elle constitue le modèle agrandi des différentes étapes de l'évolution de la personne ainsi que de tous les innombrables deuils dont est nécessairement tissées l'existence.[36]

Si la maturité psychologique correspond, par conséquent, à l'acceptation de la souffrance et de la perte, et la source des diverses maladies mentales au refus d'assumer cette même souffrance, alors il devient évident que notre capacité de faire face à l'échéance ultime sera conditionnée par la souplesse (ou la rigidité) de la personnalité que nous nous serons construite au préalable. En d'autres termes, notre rapport à la mort découlera de notre rapport à la vie.

---

36 Le mot «deuil» lui-même, rappelons-le, vient du terme latin *dolere*, c'est-à-dire éprouver de la douleur.

CHAPITRE III

PROCESSUS DU MOURIR
ET PURIFICATION

En un certain sens, nous pourrions dire que l'objectif visé par l'ascèse religieuse étant de former le sujet à l'acceptation progressive des diverses pertes, depuis les plus superficielles jusqu'à la perte ultime de soi-même, elle prépare à la mort. Comme l'exprimait dom John Main peu avant que le cancer ne l'emporte :

> [...] la vie nous prépare à la mort, et la mort à la vie. Si nous allons au-devant de notre propre mort avec espoir, cet espoir doit être fondé non seulement sur une théorie ou une croyance, mais aussi sur l'expérience. L'expérience doit nous démontrer que *la mort est un événement de la vie*, un élément essentiel de toute vie. Celle-ci constituant d'ailleurs un mystère qui s'élargit perpétuellement et qui transcende l'ego. Il me semble que seule l'expérience de la mort continuelle de l'ego peut nous mener vers cet espoir, vers un contact toujours grandissant avec la puissance de la vie elle-même. Seule notre propre mort à l'égocentrisme peut vraiment nous persuader que la Mort est un maillon de la chaîne du développement perpétuel, la voie vers la plénitude de la vie.

> La seule façon de se préparer à la mort consiste à mourir jour après jour.[37]

La mort, en fait, sert dans cette optique à la fois d'appel et de rappel. C'est ainsi que dans les monastères d'autrefois on se saluait par le *memento mori* – «rappelle-toi que tu vas mourir» – ou encore que les moines bouddhistes de la tradition *Therav™da* pratiquaient une forme de contemplation devant les cadavres.[38] Dans les deux cas, l'exercice visait entre autres à faire prendre conscience du caractère éphémère de la vie et, par voie de conséquence, à interpeller le moine quant à l'urgence de s'engager sur la voie du salut. Loin d'être morbide, ce rappel ramenait donc constamment à la vie ou, plutôt, à une transformation intérieure : c'est-à-dire qu'il demandait d'intégrer le phénomène et la signification de la mort à la vie pour que, loin de lui être étrangère, elle en devienne la conseillère. La tradition bouddhique va même encore plus loin dans ce sens puisque, selon elle, nous mourons à chaque instant pour renaître. Dans notre monde occidental moderne cependant, désacralisé et déchristianisé, en proie à tous les désarrois, tant matériels que métaphysiques, la mort n'est plus en mesure de jouer ce rôle. Elle a perdu son sens ou, pour ainsi dire, son utilité, et ce même si nous voyons se dessiner depuis quelques dizaines d'années un mouvement de retour du pendule.

---

37 John Main, «La mort : Le voyage intérieur», *Frontières*, vol. 3, no 2, automne 1990, p. 14-18 : p. 17. Les italiques sont de l'auteur.

38 Voir Mathieu Boisvert, «Bouddhisme, contemplation et mort», *Frontières*, vol. 7, no 3, hiver 1995, p. 32-37.

1. Le point de départ : le déplacement du centre de gravité

Nous pouvons déjà établir à la lumière de ce qui précède une première distinction entre le processus du mourir et l'ascèse religieuse traditionnelle : si cette dernière préparait le sujet à la perte finale à travers une vie remplie de renoncements successifs ; et si, en outre, elle conférait un sens à ceux-ci ainsi qu'à la mort ; par contre, le choc initial provoqué par l'annonce de sa mort prochaine chez un sujet occidental moyen le trouve dans un état de non-préparation et devant un sentiment d'absurde. Dans un état de non-préparation parce que les critères de réussite prônés par notre société étant ceux de la performance et du bonheur à tout prix, la souffrance ne peut représenter à cet égard qu'un raté qu'il s'agit d'éviter et d'oublier, et non d'intégrer. La mort, souffrance suprême, n'est plus considérée comme faisant partie intégrante de la vie : elle a perdu sa «fonction» comme moteur de l'évolution personnelle, de même que sa «raison d'être» et son sens. Elle ne constitue qu'une cruauté qui ne peut paraître qu'anti naturelle, ennemie des humains et rabat-joie d'une société de consommation basée sur le renforcement de l'ego et de l'individualisme. Elle est considérée comme une catastrophe dont on continue de s'étonner :

> Tel est sans doute le grand changement : hier, les croyances incitaient à placer la mort dans la vie dont elle n'était qu'une étape. Aujourd'hui, la mort est l'anti-vie, seuil absolu béant sur le vide, négation totale de l'existence. Il importe donc de

l'oublier au plus vite en attendant que la science finisse par avoir sa peau.[39]

Néanmoins, le choc qu'éprouve un sujet lorsqu'il apprend qu'il va mourir n'en parvient pas moins à lui faire prendre conscience d'une réalité essentielle qu'il s'efforçait d'oublier : soit le caractère éphémère de cette vie et, par conséquent, sa nature relative. Et c'est sur ce point que nous rejoignons l'ascèse traditionnelle (d'une manière brutale et forcée, il est vrai…). D'autre part, soulignons que cette prise de conscience conduit, tant dans le cas de l'ascète que du mourant, à une remise en question et à une quête de sens, et ce même si, parfois, cette dernière prend la forme d'une révolte contre l'absurdité apparente de la vie et de la mort. Si l'annonce de sa mort trouve souvent un être non prêt et désemparé, par contre l'urgence de la situation peut lui permettre de regarder en face les nœuds qui ont empoisonné son existence. La mort interpelle d'une voix qu'on ne peut faire autrement qu'entendre, même si c'est pour la maudire. En ce sens, ce choc[40] correspond, toutes proportions gardées, à celui de la conversion qui inaugure la quête mystique. Ici, la

---

39 Louis-Vincent Thomas, *Mort et pouvoir*, Paris, Payot, Collection «Petite Bibliothèque Payot», 1978, p. 63 : cité par Denis Savard, «Aimer la vie… et côtoyer la mort», *Frontières*, vol. 1, no 3, hiver 1989, p. 15.

40 Pour être plus exact, nous devrions dire qu'il s'agit du choc de la mort, cette dernière pouvant tout aussi bien concerner un autre être que soi-même. C'est ainsi que Gandhi s'engagea dans une démarche religieuse suite au décès de son père, décision dont le sentiment de culpabilité semble d'ailleurs constituer ici le facteur principal.

nature de l'événement qui provoque une telle conversion – ce terme étant pris dans son sens étymologique de retournement de soi-même – importe moins que le rôle qu'il joue : celui d'un transfert du centre de gravité et d'intérêt de l'extérieur à l'intérieur.

Dans le cas des mystiques, la conversion initiale peut originer de divers facteurs et constitue souvent la résultante d'un long travail inconscient ou représente, comme le dit Underhill, la résolution d'un conflit endopsychique.[41] L'événement qui enclenche la conversion – conversion d'un type particulier d'ailleurs et que nous devrions peut-être appeler «vocation mystique» – ne fait ici figure que de prétexte. Le futur mystique, en effet, était déjà en proie à un tiraillement entre l'attrait du monde et de ses plaisirs, et l'appel du «désert intérieur».[42] Tout à coup, une parole entendue, une phrase lue, une rencontre fortuite, un rêve ou une vision fournissent à la conscience indécise un élément symbolique qui opère à la manière d'une clé. Notons que cette conversion concerne non seulement ce que nous appellerons les «mondains», mais également ceux qui, déjà engagés dans une voie religieuse, entreprennent alors son intériorisation dans le sens d'une quête radicale de l'Absolu.

---

41 Evelyn Underhill, *Mysticism : A Study in the Nature and Development of Man's Spiritual Consciousness*, New York, Meridian, (sd). Consulter en particulier le chapitre 2 de la seconde partie, «The Awakening of the Self», p. 176-197.

42 Cette dernière expression, elle-même inspirée d'une image biblique, est tirée de Marie-Madeleine Davy, *Le désert intérieur*, Paris, Albin Michel, Collection «Spiritualités vivantes», 1985. Le désert symbolise ici l'abandon du monde ainsi que l'état de nudité intérieure.

Nous donnerons ici deux exemples. Le premier, très connu, est tiré de la vie de François d'Assise. Jusqu'à 24 ans, ce dernier s'adonne à la guerre et aux plaisirs, plaisirs qui le laissent toutefois insatisfait. Se promenant un jour, il pénètre dans la petite église de saint Damien. Il se met à prier et c'est alors que, selon la légende, le Crucifix lui demande de «réparer sa maison». Quoiqu'il en soit de la nature véritable de l'événement, il est clair qu'une brusque et involontaire transformation se produisit à ce moment dans la conscience du jeune homme. Ses hésitations et ses incertitudes s'évanouissent, et il commence alors un long voyage vers les profondeurs de lui-même.[43]

Le second exemple provient d'un classique de la littérature orthodoxe, les *Récits d'un pèlerin russe*. Nous ignorons s'il s'agit d'un document authentique ou d'une pure création de l'imaginaire religieux. Le texte décrit toutefois très bien le moment charnière où un homme, déjà croyant mais n'ayant pas encore trouvé la clé qui le fera entrer dans la «chambre secrète», la découvre enfin :

> Par la grâce de Dieu je suis homme et chrétien, par actions grand pécheur, par état pèlerin sans abri, de la plus basse condition, toujours errant de lieu en lieu. […] Le vingt-quatrième dimanche après la Trinité, j'entrai à l'église pour y prier pendant l'office ; on lisait l'Épître de l'Apôtre aux Thessaloniciens, au passage dans lequel il est dit : Priez sans cesse. Cette parole pénétra profondément dans mon esprit et je me demandai comment

---

43 Sur cet épisode, voir Underhill, *op. cit.*, p. 180-181.

il est possible de prier sans cesse alors que chacun doit s'occuper à de nombreux travaux pour subvenir à sa propre vie. [...] J'avais beau réfléchir, je ne savais que décider. [...]

Que faire – pensai-je – où trouver quelqu'un qui puisse m'expliquer ces paroles ? J'irai par les églises où prêchent des hommes en renom, et, là peut-être, je trouverai ce que je cherche. Et je me mis en route.[44]

Le pèlerin – tout comme François d'Assise – ignore toujours ce qu'il cherche, mais, soudain, quelque chose l'a enjoint de le faire et lui a désigné une direction. C'est alors que s'ouvre pour eux la quête mystique de l'Absolu à la façon d'un puits profond.

Que peut-il, toutefois, y avoir de commun entre ces conversions obtenues sur le mode de la promesse, et l'annonce brutale faite à quelqu'un qu'il va disparaître à tout jamais ? Car il ne s'agit plus ici d'une promesse mais bien d'une menace immonde à la lisière du cauchemar. Or, il existe bel et bien un lien. Tout comme dans le cas de la conversion initiale du mystique, en effet, le processus d'intériorisation s'amorce chez le mourant après un choc. La nouvelle qu'il va bientôt mourir agit sur lui comme une gifle et le contraint à s'arrêter, à reconsidérer sa vie, ses relations ainsi que lui-même. Certes, ce choc ne lui révèle pas l'existence d'un Absolu ; il lui révèle par contre son corollaire : soit la vanité et l'impermanence de toutes choses. Et si le futur mystique s'engage sur la voie de la mort à soi-même, c'est justement parce qu'il a pressenti la relativité

---

44 *Récits d'un pèlerin russe*, Paris, Baconnière/Seuil, 1978, p. 19-20.

de ce monde, sa précarité et sa fausseté (en regard, il est vrai, d'un Infini qui, seul, en vaut la peine).

Nous pouvons, par conséquent, dresser un parallèle entre les deux événements déclencheurs mais nous devons également constater qu'il existe une double distinction. Bien sûr, le mystique comme le mourant prennent conscience de leur finitude ainsi que de celle du monde. Pour le mourant, cependant, cette vérité se suffit à elle-même et ne trouve pas de contrepoids dans la certitude de l'existence d'un Tout Autre. En second lieu, s'il s'agit dans les deux cas d'un voyage sans retour vers l'inconnu, c'est volontairement que s'y engage le mystique et non contraint, comme le mourant. Là où domine l'espoir chez le premier, l'angoisse, la révolte et la dépression dominent chez le second. La dynamique demeure néanmoins similaire : que ce soit sur un mode ou sur l'autre, l'événement déclencheur met en branle un processus de modification du rapport aux êtres, aux choses et au réel, et ceci dans le sens d'un détachement graduel.

Nous constatons par ailleurs un fait très important pour notre propos. Les conversions spectaculaires, du type, par exemple, d'un saint Paul sur le chemin de Damas, s'avèrent relativement rares. Il s'agit le plus souvent d'un événement pouvant parfois paraître anodin à un observateur étranger, mais il réveille un dormeur. Ce qui importe avant tout, c'est que le «dormeur» se saisisse de ce dernier et qu'il entende son message car celui-ci se trouve en harmonie avec quelque chose d'indéfinissable à l'intérieur de lui-même. Il s'y soumet donc parce qu'il y reconnaît une réponse, comme lorsque quelqu'un découvre dans un livre l'expression de ses propres sentiments même si ceux-ci étaient encore inconnus. Si le message passe, c'est que le terrain était déjà préparé et fertile. Et s'il porte à terme ses fruits, c'est que le sujet, non seulement constituait un terreau favorable, mais aussi parce que, consciemment, celui-ci prend la décision de le cultiver quel qu'en soit le coût. Ce n'est donc pas l'événement déclencheur qui représente le facteur principal – nous l'avons déjà dit : ce dernier ne sert que de prétexte ou d'occasion : c'est la personne elle-même. Même en considérant un cas de revirement aussi dramatique que celui de saint Paul, force nous est néanmoins d'admettre qu'il était déjà l'un des plus zélés pharisiens : il défendra la foi nouvelle avec encore plus de conviction qu'il n'en possédait pour l'ancienne.

Ouvrons une dernière parenthèse. Si nous appliquons cette manière de voir à nos réanimés modernes, et ce malgré le côté «spectaculaire» de la chose, alors il est fort probable que la transformation induite par l'expérience de mort imminente dépendra moins de sa profondeur et de son contenu que de la capacité d'éveil – la capacité d'écoute, pourrions-nous dire – ainsi que de la détermination du sujet. À preuve de ce que nous venons d'avancer, soulignons que le nouveau converti, qu'il s'agisse de François d'Assise, de saint Paul ou d'un autre, ne fait pas figure de prophète dès le début, loin s'en faut. Il doit, au contraire, intégrer auparavant les exigences de la vérité qui vient de lui être révélée. Avant de pouvoir retrouver l'objet promis de sa contemplation, il se doit de faire mourir le «vieil homme» afin de se rendre conforme à ce dernier : avant de s'«unir», il doit se «purifier». La purification consiste ici dans l'élimination de tous les attachements (positifs ou négatifs), de tous les désirs – fors celui de l'Absolu –, ainsi que de toutes les manières d'agir, de penser et d'être qui l'en séparent. Elle réside par conséquent en une transformation radicale de l'être-au-monde du sujet dans le sens d'un détachement (et/ou d'un rapport au monde non basé sur la possessivité). De là découle la nécessité d'une ascèse pour parvenir à celui-ci. En d'autres termes, le converti doit passer du mode passif au mode actif. Bien sûr, il est d'ores et déjà transformé mais uniquement en ce sens qu'il a pris conscience d'une vérité et qu'il a la *volonté* de changer afin de s'en rendre digne. L'essence du parcours mystique réside ainsi en une dynamique de mouvement dans une dialectique activité/passivité/activité.

2. *Pureté, purification et détachement*

Dans les religions des peuples sans écriture comme dans celles de l'Antiquité, s'approcher du domaine du divin requiert préalablement un certain rituel de purification : jeûne, abstinence sexuelle, changement de vêtements, ablutions, fumigations ou offrandes (pour se concilier les dieux).[45] Ces rites sont censés purifier l'orant, c'est-à-dire le laver de ses fautes (transgressions de l'ordre divin) ou des contaminations que ses contacts avec le monde profane auraient pu provoquer.

---

45 Ces rituels subsistent encore aujourd'hui, non seulement dans les religions orientales, tel l'hindouisme, mais encore en Occident. Le signe de la croix que l'on trace sur soi avec de l'eau bénite en entrant dans une église, par exemple, rappelle cette lointaine origine où l'individu «se lave» de tout ce qui est profane avant de pénétrer dans un lieu sacré.

Au sein du judaïsme, cette purification est devenue peu à peu, notamment grâce au mouvement prophétique, moins rituelle et plus intérieure. On note la même évolution au sein de la pensée religieuse indienne. Dans le Nouveau Testament, cette intériorisation progressive de l'idée de pureté est également présente. Le sacrifice agréé devient celui de son être même, conception qui sera amenée à son terme logique par le mouvement mystique postérieur. On voit ainsi Jésus transgresser les interdits de la Loi et déclarer à la foule devant les Pharisiens que l'impureté est avant tout intérieure :

> Écoutez-moi tous et comprenez ! Il n'est rien d'extérieur à l'homme qui, pénétrant en lui, puisse le souiller, mais ce qui sort de l'homme, voilà ce qui souille l'homme. […] Ne comprenez-vous pas que rien de ce qui pénètre du dehors dans l'homme ne peut le souiller, parce que cela ne pénètre pas dans le cœur, mais dans le ventre, puis s'en va aux lieux d'aisance […] Il disait : Ce qui sort de l'homme, voilà ce qui souille l'homme. Car c'est du dedans, du cœur des hommes, que sortent les desseins pervers […][46]

Toutes les spiritualités issues du judéo-christianisme – *a fortiori* la mystique, tant occidentale qu'orthodoxe – ont hérité de cette notion de «pureté du cœur». La purification en tant que telle concerne par conséquent l'homme intérieur, c'est-à-dire pris dans sa globalité : sa personnalité, son comportement (moral), ses désirs et ses intentions.[47]

---

46 *Marc* VII ;14-16, 18-21.
47 Voir Michel Dupuy, «Pureté-Purification», *Dictionnaire de spiritualité ascétique et mystique*, Paris, Beauchesne, 1986, tome 12, p. 2628-2652.

(C'est cette même notion que nous retrouvons de façon sous-jacente dans les récits d'expériences de mort imminente, lorsque le sujet revoit sa vie et en tire un bilan. En effet, ce sont moins les actes posés qu'il juge que les intentions et motivations, même inconscientes, qui les sous-tendent.)

Dans l'optique religieuse, la purification ne concerne pas simplement le «péché» ou la faute à éviter. Il s'agit là de la surface des choses, de la manifestation extérieure, en somme, de ce que recèle le «cœur». L'homme doit aller creuser à la racine même de sa nature profonde s'il veut atteindre la pureté. Il doit, certes, éviter de commettre des péchés – et encore ceux-ci sont-ils hiérarchisés et classifiés selon leur caractère volontaire ou involontaire –, il doit encore mortifier les suites de ces derniers (c'est-à-dire les mauvaises inclinations qu'ils laissent dans le tempérament) ainsi que discipliner ses «passions». Il ne suffit donc pas de modérer le «vieil homme» : il faut le mortifier, c'est-à-dire le faire mourir.[48] La nature de ce dernier est , en effet, toujours selon la conception judéo-chrétienne, celle de pécheur. Ceci signifie en clair que l'homme naît avec une inclination à l'autosatisfaction et aux plaisirs, bref qu'il est par nature égoïste et/ou égocentré. C'est d'ailleurs cet égoïsme – l'«amour désordonné de soi-même» – qui, selon Thomas d'Aquin, constitue la racine véritable de tous les péchés.[49] Nous nous trouvons en fait ici très proche de certaines conceptions reli-

---

48   Voir sur ce thème le père Réginald Garrigou-Lagrange, o.p., *Les trois âges de la vie intérieure*, tome I, Paris, Cerf, 1938.

49   «*Inordinatus amor sui est causa omnis peccati.*», Thomas d'Aquin, *Somme théologique*, I, II, qu. 77, a. 4 : cité dans Garrigou-Lagrange, *op. cit.*, p. 392.

gieuses orientales, où l'ego constitue une illusion entraînant dans son sillon le mal et la souffrance.[50]

La «conversion mystique» dont nous faisions état plus haut inaugure ainsi dans les faits un long processus où le sujet tentera de se configurer à l'objet de sa promesse. La première étape consistera par conséquent dans une purification active à la fois extérieure – la mortification des sens et de la sensibilité – et intérieure – la mortifications des «sens intérieurs» que sont l'imagination, la mémoire et la volonté – : il s'agit de l'ascèse en tant que tel. Une telle mortification ne constitue pas un but en soi. C'est un moyen qui vise à la maîtrise par le sujet tant de ses sens que de son esprit, et ce afin de les orienter vers un but unique : Dieu. C'est à ce Dieu qu'il veut se configurer et, par conséquent, cherchet-il à transformer radicalement son attitude intérieure dans le sens de la charité (l'amour désintéressé).

Le but visé demeurant toujours l'union à Dieu, tout ce qui peut se trouver entre le mystique et l'Absolu est considéré comme un obstacle qu'il faut lever. Le sujet veut ainsi cesser d'être prisonnier de ses pulsions et de ses désirs. Il veut se détacher d'eux afin de se rendre totalement disponible à Dieu. Jean de la Croix explique de cette manière la nécessité de briser l'emprise des sens par la «résistance à l'esprit de Dieu» que celle-ci entraîne :

> Il est évident que lorsqu'une âme s'attache à un objet créé quel qu'il soit, plus cet appétit tient de place

---

50 Nous pourrions définir l'ego comme une représentation mentale de l'individu où celui-ci se perçoit comme un être séparé. Nous utiliserons toujours le mot «ego» avec cette acception tout au long de notre travail.

en elle, moins cette âme a de capacité pour Dieu, car, ainsi que s'expriment les philosophes, deux contraires ne peuvent subsister en un même sujet [...]. [...] l'amour de Dieu et l'affection pour la créature sont deux contraires : ils ne peuvent donc subsister ensemble. En effet, quel rapport y a-t-il entre la créature et le Créateur ? entre ce qui est sensible et ce qui est spirituel ? ce qui est temporel et ce qui est éternel ? entre l'aliment céleste, purement spirituel, et l'aliment purement sensible ? entre le dénuement du Christ et l'attache à un objet quelconque ?[51]

Il poursuit en expliquant que les «appétits» (les désirs) provenant de la partie animale de l'homme fatiguent et tourmentent l'âme, l'obscurcissent, la souillent et l'affaiblissent. Il compare ces désirs à de petits enfants inquiets, mécontents et insatiables, et qui ne cessent de réclamer toujours davantage à leur mère.[52] La purification active consiste par conséquent à mortifier ces enfants revêches pour les empêcher de nuire suite à un trop grand attachement à soi et à ce qui est terrestre. En d'autres termes, le Carme définit la purification comme un détachement de tout afin de parvenir au Tout :

Quand tu t'arrêtes à quelque chose,
Tu cesses de te jeter dans le tout.
Pour parvenir en tout au tout,
Tu dois te quitter totalement en tout,
Et, quand tu parviendras à le posséder totalement,
Tu dois le posséder sans rien chercher.[53]

51 Jean de la Croix, *La montée du Carmel*, I,6,1.

52 *Ibidem*, I,6,6.

53 Jean de la Croix, *Le Mont de Perfection*, strophe 3.

CHAPITRE IV

LA VOIE DU DÉTACHEMENT

Nous avons déclaré dans le chapitre précédent que le début du processus se fait sur un mode passif, tant dans le cas de l'aspirant mystique que dans celui du mourant. Le choc de la découverte «expérientielle» de l'absolu dans un cas, celui de l'annonce de sa fin prochaine dans l'autre, sont tous deux en quelque sorte «reçus» comme de l'extérieur par le sujet. Dans les deux cas également, la route à suivre sépare progressivement le sujet du monde qu'il a connu. La différence réside encore une fois dans le caractère volontaire ou obligé de la chose. Il ne faudrait cependant pas y voir trop tôt une contradiction. Dans la pensée religieuse, en effet, et dont la doctrine catholique offre un excellent exemple, la purification s'avère nécessaire avant de rencontrer Dieu. Si elle ne s'effectue pas dès cette vie par un acte de volonté, elle devra obligatoirement se faire dans l'autre monde. L'âme devra d'abord transiter par le purgatoire dont la fonction, comme son nom l'indique, est de débarasser (purger) l'âme de ses imperfections. La voie mystique constitue à cet égard une sorte de purgatoire payé d'avance, tout comme la «mort mystique» préfigure la mort physique tout en la dépassant.

1. Le détachement du monde

Étape préalable à toutes les autres, et ce bien longtemps avant qu'il ne puisse accéder ou aspirer à la contemplation, le mystique dit symboliquement adieu au monde. Ainsi, les membres des communautés monastiques dressent-ils entre le monde extérieur et eux-mêmes une clôture plus ou moins perméable ; les anachorètes des III et IV siècles quittent-ils le faste du monde romain pour s'enfuir dans les étendues désertiques d'Égypte ou de Syrie ; et les *saddhus* de l'hindouisme de même que les *bhikkhus* du bouddhisme partent-ils sur les chemins en laissant derrière eux leur famille et leur situation sociale. Ce renoncement au monde est souvent symbolisé par divers signes extérieurs : tonsure, prise d'habits et autres. Il s'agit d'ailleurs davantage d'un engagement – d'un «vœu» – que d'un départ réel puisque ce monde qu'ils quittent physiquement, ils l'emportent avec eux.

L'éloignement du monde s'opère de manière plus brutale chez le mourant. Ici, ce n'est pas suite à un vœu, mais par suite d'incapacités physiques que le monde devient pour lui de plus en plus lointain et étranger. De même se retrouve-t-il, même géographiquement, isolé et confiné dans un hôpital ou dans sa chambre. Il est cloîtré à son corps défendant. Ce monde, toutefois, tout comme chez le moine, continue de vivre en lui. Il y a éloignement physique, non encore psychique. C'est ainsi que Thérèse d'Avila nous relate comment le lien qu'elle continuait d'entretenir avec le monde du dehors à travers les visiteurs qu'elle recevait occupait ses pensées et l'empêchait de progresser :

Grâce à l'oraison je comprenais mieux mes fautes. Si d'un côté Dieu m'appelait, de l'autre je suivais le monde. Les choses de Dieu me procuraient les plus précieuses consolations, et celles du monde me retenaient captive. Je voulais, ce semble, concilier ces deux contraires, si ennemis l'un de l'autre, la vie spirituelle et ses consolations avec les jouissances et les passe-temps d'une vie sensuelle. J'endurais un vrai tourment dans l'oraison. L'esprit n'était pas maître, mais esclave. Aussi je ne pouvais me renfermer au-dedans de moi-même, puisque c'était là tout mon mode d'oraison, sans y renfermer avec moi mille pensées vaines.[54]

Thérèse d'Avila l'affirme très clairement : il n'y a plus de place pour Dieu en elle-même car il y a trop de «monde». Il subsiste encore trop de proximité, trop de contacts avec l'extérieur pour que la solitude puisse l'habiter. Il semble donc que, s'il est toujours relatif, l'éloignement physique du monde soit une condition, sinon suffisante, du moins presque nécessaire – facilitante en tout cas – à l'éloignement psychique. Nous devrions d'ailleurs plutôt parler de détachement que d'éloignement en tant que tel.

Quoiqu'il en soit par ailleurs, ce qu'il est important de retenir est que, si le but recherché par le mystique en quittant le monde est de s'en détacher, par contre, pour le mourant, cet éloignement forcé aura pour effet involontaire, à terme, le détachement. Chez ce dernier, ce premier deuil est plus difficile. Par la force des choses, il est en effet amené à re-

---

54 Sainte Thérèse de Jésus, *Vie écrite par elle-même*, chapitre septième, in *Œuvres complètes*, Paris, Seuil, 1948, p. 74-75.

considérer sa place dans le monde et, tout d'abord, à renoncer à y jouer un rôle actif. On voit ici que la dynamique, si elle demeure similaire, part néanmoins d'une situation inverse. Chez le mystique, la séparation (physique) d'avec le monde (profane) résulte d'un choix délibéré, donc actif ; chez le mourant, elle est imposée au contraire par le contexte. Ceci explique que, dans son cas, il lui faille traverser une série d'émotions et d'états d'âme beaucoup plus pénibles parce que forcés et comprimée dans le temps. Mais également, ajouterions-nous, parce que le sens des événements lui échappe. Si, en effet, l'aspirant religieux comprend que cette séparation est nécessaire pour pouvoir aller à l'intérieur et jusqu'au fond des choses et de lui-même, c'est parce qu'il sait qu'il s'agit là d'une première étape devant faciliter le «renoncement aux choses créées». En d'autres termes, cela fait sens.

Précisons un point. Le fait que, chez le mourant, toute la démarche découle d'une situation sur laquelle il a de moins en moins de prise ne signifie nullement qu'il ne participe pas de quelque manière à la marche des choses. Le travail de deuil qu'il est appelé à accomplir lui tient lieu d'ascèse, mais ceci dans un contexte bien particulier. Un travail d'ailleurs où interviennent tant le conscient que l'inconscient du sujet. Nous avons déjà parlé du rôle que jouent les rêves des mourants qui est, somme toute, celui, premièrement, de leur faire prendre conscience d'une réalité qu'ils continuent de refuser ; deuxièmement, de les amener à accepter cet état de fait.[55] Or, il est bien évident que dans le pro-

---

55 Voir Y. Bertrand, *Les expériences de mort imminente : une introduction au phénomène des EMI*, Beauport, MNH, 2000.

cessus du mourir comme dans les autres étapes de notre existence nous demeurons toujours libres d'accepter la réalité ou de la nier ; d'entrer dans notre souffrance comme de demeurer dans la révolte ; de retenir les gens et les choses auxquels nous tenons comme de les laisser aller ; de nous figer sur nous-mêmes comme de nous ouvrir (au risque de souffrir). Ainsi, dans le travail de deuil qui s'amorce, le mourant a-t-il le dernier mot sur la façon dont il écrira son dernier chapitre.

Ce n'est pas l'inconscient qui décide : c'est le conscient. Tout comme le mystique, le mourant conserve pleine liberté devant la voix qui lui demande de s'abandonner à elle. C'est d'ailleurs dans cette perspective que nous devons considérer des disciplines comme la méditation (ou l'oraison), en autant bien sûr qu'elles soient accomplies de pair avec un remodèlement de la vie des sujets (une ascèse au sens large). En tant que technique de dépossession ou de décentrement graduel de la part du conscient – un conscient qui est avant tout une conscience de l'ego –, la méditation prépare à la grande dépossession de soi-même. Elle accoutume à un lâcher-prise qui n'ira cependant jamais de soi. Aucun deuil, aucune mort, ne sont identiques : un deuil est toujours nouveau, tant pour les êtres que pour les choses. Il s'agit par conséquent de «prendre un pli» sans jamais détenir l'assurance qu'il tienne.

C'est ainsi que la voie mystique prépare le terrain en incitant au détachement du plus général au plus intime : d'abord la séparation d'avec une société perçue comme un tout étranger («le siècle» comme disent les vieux textes, en opposition à l'éternel) ; ensuite le renoncement aux biens matériels et à la jouissance qu'ils procurent (c'est le vœu de pauvreté), ainsi que le détachement des personnes et des liens que nous entretenons avec elles (pensons ici à ce que raconte Thérèse d'Avila) ; enfin, le détachement suprême, celui de soi-même.

Ce sont l'instinct de possession et l'égocentrisme, qui font en sorte que l'on considère le monde, les gens et les choses toujours en fonction de ses propres intérêts plutôt qu'en fonction d'eux-mêmes, qui sont ici en cause. Afin d'illustrer l'entrave qu'ils représentent, Jean de la Croix utilise l'image de l'oiseau empêché de s'envoler, retenu comme il l'est que ce soit par un fil mince ou épais.[56] Or, cet instinct ne peut être usé que par une longue discipline qui commence par couper les fils les plus épais ou grossiers jusqu'aux fils les plus minces ou subtils.[57]

2. Le détachement des sens

La voie purgative (ou purificatrice) a pour objectif de modifier l'attitude intérieure en grugeant peu à peu ce dernier instinct. Or, du moins dans un premier temps, l'éloignement du monde semble un prérequis nécessaire pour pouvoir entamer ce travail. Le mystique ne peut toutefois en rester là. Comme nous l'avons déjà souligné, le monde continue à vivre en lui, tant par les désirs ou aversions qu'il conserve que par le dispersement de sa pen-

---

56 Jean de la Croix, *La montée du Carmel*, I,11,4.

57 Cette idée, que notre attitude profonde se manifeste davantage dans les détails que dans les grandes choses, est exprimée déjà dans l'Évangile de Luc : «Qui est fidèle en très peu de chose est fidèle aussi en beaucoup, et qui est malhonnête en très peu est malhonnête aussi en beaucoup.» (*Luc*, XVI ;10).

sée. Il doit par conséquent apprendre à discipliner et à mortifier sa sensibilité, sa sensualité et son esprit. C'est son être tout entier qu'il doit refaçonner.

Jean de la Croix distingue ici les purifications active et passive. La première consiste dans le renoncement aux satisfactions procurées par les sens ainsi que dans l'extinction de ce qu'il appelle les quatre passions naturelles : la joie, l'espérance, la crainte et la douleur. Pour ce faire, il recommande de :

> Viser toujours :
> non au plus facile, mais au plus difficile ;
> non au plus savoureux, mais au plus insipide ;
> non à ce qui est agréable, mais à ce qui est moins agréable ;
> non à ce qui repose, mais à ce qui coûte ;
> non à ce qui console, mais à qui désole ;
> non au plus, mais au moins ;
> non au plus élevé et au plus précieux, mais au plus bas et au plus méprisé ;
> non à vouloir quelque chose, mais à ne rien vouloir ;
> non à rechercher ce qu'il y a de meilleur, mais ce qu'il y a de pire ; et désirer entrer pour l'amour du Christ dans le total dénuement, dans le vide et le dépouillement de tout ce qu'il y a dans le monde.[58]

Or ce moyen qui, s'il est «convenablement exercé, suffit à introduire l'âme dans la nuit du sens»[59], et qui constitue la part du mystique dans sa mortification, le mourant en subit les effets sans

---

58 Jean de la Croix, *La montée du Carmel*, I,13,6.
59 *Ibidem*, I,13,8.

l'avoir recherché. Ceci nous oblige à préciser le parallèle que nous désirons faire entre la voie purgative et le processus du mourir.

Au niveau physique, le mourant se voit progressivement coupé du monde social ; les sensations
provenant des sens corporels s'amenuisent peu à peu
jusqu'à disparaître complètement ; et les jouissances ou plaisirs qui en résultaient autrefois sont désormais remplacés par la souffrance. Reprenons ici
à titre d'illustration les propos déjà cités de Danielle
Perron :

> Après quelques jours, j'ai eu une montée de fièvre
> accompagnée de douleurs persistantes qui s'accen-
> tuaient rapidement. Finalement, au bout d'une se-
> maine, je ne pouvais plus bouger sans ressentir
> une douleur intolérable. J'étais très amaigrie et
> mon abdomen était excessivement gonflé. Ma res-
> piration était rapide, mon pouls élevé. Évidem-
> ment, je ne mangeais plus. J'avais peine à voir, à
> entendre, et je ne parvenais plus à parler.[60]

Ce que nous constatons à travers ce texte, c'est
que le corps cesse d'être une source de satis-
faction(s) pour devenir une source de douleurs. De
plus, les divers sens – source des perceptions habi-
tuelles – sont eux-mêmes plongés dans une sorte de
crépuscule. Nous pourrions faire les mêmes remar-
ques à propos de la plupart des mourants. Le processus du mourir comporte donc, dans sa nature
même, «non le plus facile, mais le plus difficile ;
non le plus savoureux, mais le plus insipide ; non ce
qui est agréable mais ce qui est moins agréable ; non

---

60 Danielle Perron, *loc. cit.*, p. 40.

ce qui repose, mais ce qui coûte ; non ce qui console, mais ce qui désole ; non le plus, mais le moins ; non le plus élevé et le plus précieux, mais le plus bas et le plus méprisé ; non le meilleur, mais le pire ; et le total dénuement, le vide et le dépouillement de tout ce qu'il y a dans le monde».

Qu'est-ce à dire sinon que la «nuit du sens», pour le mourant, provient de l'extérieur – de la maladie – et non de l'intérieur – c'est-à-dire de la volonté. Malgré ce caractère apparemment passif, le mourant se voit tout de même placé devant un choix : demeurer dans la colère ou la révolte, ou faire avec l'état des choses. Bref, il rejoint par là la doctrine mystique traditionnelle : la liberté suprême de l'homme réside dans son consentement au travail de transformation intérieure qui s'opère en lui.

Nous allons maintenant tenter de vérifier si un dernier détachement, celui de soi-même, vient compléter les deux premiers chez les mourants.

3. Le détachement de soi-même

Selon Jean de la Croix, une «nuit de l'esprit» suit celle du sens et constitue, en fait, son approfondissement. C'est cette nuit de l'esprit qui entraîne un remodèlement dans la manière de penser et de comprendre, d'agir et d'aimer. Si la nuit du sens se rapportait à la vie sensible du sujet, elle avait pour effet de purifier et de dénuder l'âme quant à l'«appétit», de modifier ce dernier face au goût des objets créés et de l'établir dans l'obscurité et le dénuement complets. Or, quand le docteur mystique parle de dénuement, il le fait toujours par rapport aux désirs. Ce sont ces désirs qui constituent, en effet, la véritable cible :

Nous ne parlons pas ici du dénuement effectif, car il ne dénue point l'âme si elle garde le désir de ce qui lui manque. Nous parlons du dénuement de l'appétit et du goût par rapport à tous les biens de ce monde, dénuement qui rend l'âme libre et vide, même en les possédant. En pareil cas, les choses de ce monde n'occupent point l'âme et ne lui nuisent point, parce qu'elles ne pénètrent pas en elle. Ce qui lui nuit, c'est le désir, c'est l'appétit qui subsiste en elle par rapport à ces biens.[61]

Les désirs formant des grains de poussière qui empêchent l'œil de voir êtres et choses «tels qu'ils sont»[62], le détachement par rapport aux «choses créées» ne peut-il donc être complété que si la mortification atteint la racine même de ces désirs par la «forte lessive de la seconde purification»[63], c'est-à-dire celle de l'esprit. Se détacher signifie ne plus désirer (ou ne plus ressentir d'aversion). Il s'agit de la «sainte indifférence» dont parle Ignace de Loyola. Or, ne plus désirer nécessite une refonte complète de l'attitude intérieure dans ses manières de voir le monde, de le comprendre et d'interagir avec lui. Bref, cela demande une modification des rapports que l'on a développés avec soi-même et avec les autres, c'est-à-dire une refonte de l'être-au-monde.

Fidèle à l'anthropologie de son époque, Jean de la Croix divise la vie suprasensible – l'esprit – en

---

61 Jean de la Croix, *op. cit.*, I,3,4. Soulignons encore une fois au passage la parenté d'une telle manière d'envisager le problème avec la pensée bouddhique, pour laquelle le désir constitue la source de toute souffrance.

62 *Ibidem*, I,8,4.

63 Jean de la Croix, *La nuit obscure*, II,2,1.

trois facultés qu'il s'agit de remodeler, soit l'intelligence, la mémoire et la volonté :

1. Afin de réformer l'entendement, il recommande de parvenir à la «foi pure», c'est-à-dire de faire abstraction de toute forme, espèce, concept ou image. La tâche du mystique consiste par conséquent à conserver la nudité d'esprit, soit cesser de se représenter l'objet de son espérance par raisonnement ou imagination. Cette «foi pure», nous pourrions provisoirement la définir comme un abandon confiant entre les mains d'un Inconnu irreprésentable ;

2. Afin de réformer la mémoire – c'est-à-dire la capacité de se rappeler ce qui a été appréhendé par les sens dans le passé –, il incite le mystique à éviter de retenir tout ce qui vient des sens ainsi que les réflexions qui pourraient en découler. Le silence de la mémoire vise à corriger l'oubli de l'«unique nécessaire» provoqué par l'encombrement de la pensée par les souvenirs ou imaginations. C'est cet oubli qui fait en sorte que notre mémoire «est comme immergée dans le temps» et qu'elle ne possède qu'une «vue banale et horizontale des choses»[64]. Si la nuit de l'intelligence conduit à la foi obscure, celle de la mémoire conduit à l'espérance, que nous pourrions décrire comme étant un espoir obscur. En effet, si l'espoir porte sur un objet connu, l'espérance – tout comme la «foi pure» – se caractérise par le caractère indéterminé et indéterminable de son objet ;

3. Enfin, parler de la mortification de la volonté, c'est traiter nécessairement de celle de l'égocentrisme. C'est ce dernier, en effet, qui nous porte à

---

64 P. Garrigou-Lagrange, *op.cit.*, tome I, p. 470.

vouloir selon nos intérêts propres. Le mystique est amené peu à peu à réduire cette tendance [65] en renonçant à la possession et à la jouissance des divers types de biens.[66] C'est l'amour désintéressé – la charité –, non basé sur l'amour de soi, qui, cette fois, sera le résultat du silence de la volonté propre. Comme la «foi pure» et l'espérance, la charité n'embrasse aucun objet particulier.

Tout ceci ne constitue une digression qu'en apparence car nous allons constater que nous pouvons appliquer cette doctrine aux différentes phases du mourir. Ce que dit Jean de la Croix à propos de l'ascèse et de l'oraison peut être reformulé autrement. Ce qu'il affirme, c'est qu'il faut faire disparaître les *habitus* (ou tendances innées) du «vieil homme» quant à ses manières de voir et de comprendre, de désirer et d'espérer, d'agir et d'interréagir. Il ne faut plus analyser ou imaginer : il s'agit de porter un regard neuf et nu sur le monde et les choses, un regard qui se transforme en une simple écoute silencieuse. Il ne faut plus, non plus, que le passé porté par la mémoire ou l'avenir par l'imagination vienne en-

---

65 Rappelons que nous ne portons pas ici de jugement d'ordre moral mais que nous parlons plutôt du mode de conscience ordinaire basé sur l'ego (à distinguer du «moi» de la théorie psychanalytique). Celui-ci a initialement pour raison d'être la satisfaction des besoins de l'individu en regard de sa survie tant biologique que psychologique. Voir Denis Savard, *loc. cit.*

66 Il est intéressant de noter que Jean de la Croix ne parle pas simplement des biens d'ordre matériel ou moral, mais également des biens qu'il appelle «spirituels» ou «surnaturels». En termes clairs, le mystique ne doit ni rechercher ni s'attacher aux «consolations» censées provenir de Dieu.

traver ou déformer la perception de ce qui, simplement, est. Finalement, il ne faut plus vouloir ou désirer à partir de ses propres satisfactions, mais bien plutôt accueillir et apprécier ce qui est, sans porter de jugement sur ce qui est.

Le mystique doit apprendre à dire «oui». Tout son labeur consiste à nettoyer les «portes de la perception» et à préparer le terrain pour que ce dernier devienne champ d'accueil et non plus de lutte. Il apprend à devenir malléable. En d'autres termes, toute son activité réside dans le retrait des obstacles qui se situent – tant du côté de la sensibilité que de l'esprit – entre lui et l'Inconnu absolu qu'il doit seul espérer. Ainsi, il mate ses sens pour apprendre à n'en plus tirer quelque jouissance dissipative ; tout comme il se vide de tout mode de représentation et de volonté propre afin de ne pas nuire à l'accueil de ce qu'il ignore encore. Le renoncement qu'il exige de lui-même est décrit comme une sorte d'anéantissement en toutes choses, temporelles, naturelles ou même spirituelles. Bref, ce n'est plus seulement au monde et aux jouissances des sens qu'il doit mourir : c'est à lui-même. Cet anéantissement de sa volonté propre – c'est-à-dire des tendances naturelles de son être – ainsi que cette recherche corrélative du «rien» ne constituent rien d'autre qu'«une vive mort sur la croix».[67]

Comme nous l'avons remarqué à propos du début du processus, le schéma se montre inverse dans le cas du mourant. La maladie et le mourir constituent, certes, une mortification des sens – au sens littéral – de même qu'un anéantissement des goûts;

---

67 Jean de la Croix, *La montée du Carmel*, II,7,11.

mais cet anéantissement ne provient pas de la volonté de l'individu mais bien d'une cause «extérieure» : il s'agit du dépérissement physique lui-même. De façon similaire, les différentes étapes du processus psychologique du mourir peuvent-elles être mises en parallèle avec la «nuit de l'esprit», mais ceci dans sa phase passive. Entendons-nous sur ce terme.

Il n'est pas question de prétendre que le mourant n'effectue, ou ne peut effectuer, aucun travail sur lui-même mais, encore une fois, simplement que ce travail constitue une *réponse*, une réaction, à une souffrance et à un tourment psychique provoqués par le contexte. Par conséquent dans les deux cas, s'il y a présence d'une mortification ou d'une «purification», elle n'était ni voulue, ni recherchée par le mourant.

Rapprocher ici le mourir de la purification passive propre à la voie mystique pourrait cependant conduire à une méprise si nous ne précisons pas davantage encore notre pensée. Nous avons dit que, au-delà des gestes et des méthodes employées, l'activité du mystique consistait avant tout à se rendre disponible et ouvert. Le moyen qu'il utilise à cet effet, c'est la mortification. Sans jouer sur les mots, le processus du mourir joue le rôle de celle-ci mais, toutefois, sous un mode uniquement passif : le processus physique jouant celui de la «nuit du sens», et le psychologique (et spirituel) celui de la «nuit de l'esprit». Si donc le mystique s'est préalablement disposé à accueillir les purifications passives, la générosité avec laquelle y répondra le mourant devra plus ou moins être déterminée par les dispositions qu'il entretenait déjà. Ce sont ces dispositions préétablies, le type de personnalité qu'il s'est construit entre autres, qui coloreront forcément son ultime démarche – sans, toutefois, que rien d'automatique ne puisse être avancé.

La façon dont un individu affrontera sa mort n'est donc nullement indépendante de celle qu'il aura développée en face de sa vie. Nous pourrions exprimer tout ceci d'une manière légèrement différente en établissant le parallèle suivant : les dispositions du mourant en face de sa fin prochaine seront conditionnées par la façon de gérer les pertes qu'il aura construite durant son existence, de la même manière que l'ascèse du mystique aura disposé celui-ci aux purifications passives ainsi qu'au détachement supême de soi-même. En ce sens, nous pouvons comparer le processus du mourir à une purification passive en autant, cependant, que nous considérions la vie active qui a précédé comme une sorte de préparation (au mourir). Dans le cas du mystique comme dans celui du mourant, ce sont par conséquent les dispositions acquises – que ce soit au cours de la purification active pour le premier ou durant la vie active pour le second – qui détermineront en dernière analyse la «générosité» avec laquelle le sujet répondra à la mort (symbolique ou réelle).

Le mourant affronte bel et bien une mortification psychique égale sinon supérieure à la mortification physique. Par le bilan de sa vie et la réévaluation de son être-au-monde que l'issue fatale présagée encourage, il peut resituer son passé, ses valeurs et ses relations à la lumière de cette donnée nouvelle : soit la précarité coextensive au phénomène éminemment fragile de la vie. Il a ainsi l'opportunité de redonner un sens non seulement à tout ce qu'il a fait, mais à ce qu'il *est*. Ce faisant, son esprit s'ouvre à l'infini dans la mesure même où il se ferme au fini.

Sa réponse, cependant, peut être double : ou bien il persiste, malgré l'inéluctable, à s'accrocher à son corps défendant à la vie et à la propre image qu'il a de lui-même (d'où une colère et une dépression nourrie d'agressivité) ; ou bien il peut lâcher prise (à la suite, il faut bien le dire, de tout un processus). Dans ce dernier cas, il sera parvenu à faire le deuil – à se détacher – de ce qu'il possédait et de ce dont il rêvait, des êtres qu'il chérissait et des rancunes envers ceux qu'il détestait, et, surtout, de lui-même. Il acceptera ce qu'*il est,* «sans aucun maquillage, sans son agent de presse, sans photographes et sans signer d'autographes»[68], de même que ce *qui est*, là, devant lui et en lui. Il aura fait la paix avec lui-même, avec les autres et avec l'ordre des choses.

Bref, sa réponse sera un «oui» et son attitude, un abandon similaire à celui du mystique parvenu au terme de ses purifications.

Le détachement du monde puis celui des sens l'auront donc, pas à pas et douloureusement, amené à se détacher de lui-même et à redécouvrir l'«unique nécessaire», notamment à travers le phénomène caractéristique de la relecture de vie. Comme le décrit très bien Hétu, celui-ci, provoqué par l'effondrement du mythe de sa propre invulnérabilité, invite la personne à porter un nouveau regard sur sa vie passée et à l'assumer, à faire la paix avec elle-même et à terminer les deuils non achevés.[69] Ce bilan resitue

68   Ernesto Cardenal, *loc.cit.*

69   Jean-Luc Hétu, *op. cit.*, particulièrement les chapitres 6 et 7.

le sujet à l'intérieur de sa propre histoire, et ce grâce à la prise de distance avec soi-même que le processus du mourir a préparée et facilitée. Il offre par ailleurs l'occasion de trouver un sens à sa vie comme à sa mort à travers la découverte d'un essentiel : soit la qualité de son être-au-monde, de sa relation avec les autres, de sa relation avec l'Autre. Denis Savard le résume ainsi :

> Mais qu'est-ce qui apparaît «essentiel» à ceux et celles qui se préparent à partir ? À l'heure du bilan final, il semble bien que ce qui importe n'est pas la somme des biens que nous avons pu accumuler ni la liste de nos performances et de nos exploits de tout genre, mais la qualité des liens privilégiés que nous avons créés, pour le meilleur ou pour le pire : une femme, un homme qu'on a aimé profondément, des enfants pour qui on était prêt à tout donner, des amis inconditionnels, mais aussi un conjoint avec qui la vie a été plutôt difficile, un enfant, une amie avec qui les liens ont été brutalement coupés... Source des plus grandes joies, des peines les plus profondes et des soucis les plus inquiétants, ces liens privilégiés apparaissent vraiment comme ce qui donne à la vie son sens profond et sa saveur particulière.[70]

Cette quête de sens, de même que l'importance accordée à l'amour, au-delà de l'avoir et de la possessivité, renvoient à un questionnement métaphysique sur la nature de l'être et sur la raison d'être du monde. La confrontation avec la mort est, par con-

---

70 Denis Savard, «Et si la mort avait quelque chose à dire», *Religiologiques*, no 4, automne 1991, p. 142.

séquent, génératrice d'un questionnement religieux explicite ou inplicite, et ce dans les deux sens étymologiques de *religare* – relier – et de *relegere* – relire :

> En posant, comme nous l'avons vu, la question du sens de la vie et de la mort, en suggérant que l'expérience d'aimer et d'être aimé est au centre de la réponse à cette question, en invitant à dépasser un rapport au monde trop exclusivement centré sur le moi et à redécouvrir une appartenance à quelque chose de beaucoup plus vaste que le moi empirique, la conscience de la mort renvoie directement à quelques intuitions centrales des grandes traditions spirituelles.[71]

L'être exténué, desséché et dégagé de ses attaches se laissera maintenant «guider comme un aveugle à travers les ténèbres, par des voies qui lui sont inconnues, vers un lieu qu'il ignore et qu'il n'atteindrait jamais par la lumière de ses yeux et le mouvement de ses pieds, quelqu'effort qu'il fisse d'ailleurs pour avancer».[72]

---

71 *Ibidem*, p. 154.
72 Jean de la Croix, *La nuit obscure*, II,16,7.

CHAPITRE V

DE L'EN-DEÇÀ À L'AU-DELÀ

Que peut bien signifier l'acquiescement d'un mourant à cette mort qui l'appelle par son prénom ? Que représente donc ce lieu inconnu où , de guerre lasse, il sera conduit à travers l'obscur et douloureux sentier de sa reddition ? Cette reddition elle-même est-elle défaite ou victoire, anéantissement ou découverte de la face cachée du réel ? Qu'advient-il au sortir du mourir ? Les précaires réponses que l'on peut apporter à cette question fondamentale sont d'au moins deux ordres : celles de l'esprit scientifique et rationnel et celles de la philosophie et de la religion. Nous nous limiterons ici, à l'approche psychanalytique et au discours des principales traditions religieuses, ces deux modes d'appréhension du monde partageant, chacun selon son optique et sa méthodologie particulières, un même objet d'études et de réflexion : l'âme humaine.

1. La psychologie des profondeurs devant la mort

Le fait de prononcer aujourd'hui le nom de Sigmund Freud évoque aussitôt en nous la notion de libido et de pulsion sexuelle. Comme si notre inconscient se limitait à un instinct de vie débridé que le moi conscient se doit de refréner et de mettre sous son contrôle. En fait, sa théorie se montre beaucoup plus complexe et intègre une autre pulsion située à l'opposé de la première : la pulsion de mort. L'existence humaine peut donc être conçue non seulement comme une démarche progressive vers une plus grande conscientisation mais également comme celui d'une lutte sans fin entre *Éros* et *Thanatos*.

Le combat d'Éros et Thanatos

Au commencement, il y avait le «Ça». À notre naissance, notre moi reste tout entier à construire, n'existant encore que nos instincts animaux. Peu à peu l'enfant prendra conscience de son individualité distincte de sa mère et de son environnement. Sa personnalité future s'élaborera à partir et au travers de ce sentiment du moi, un moi servant de médiateur entre les exigences sauvages du Ça, les contingences de la réalité et de la société, et une conscience morale en procès d'intériorisation (le Surmoi).

Le Ça lui-même se révèle être par conséquent un réservoir de besoins et de pulsions chargés d'une énergie cherchant sans cesse à s'exprimer et à se satisfaire. En d'autres termes, tout besoin, désir ou pensée se trouve à créer un certain montant d'énergie psychique, bref il crée une tension. C'est précisément cette tension qui caractérise ce que nous nommons la vie. Or, tension signifie aussi inconfort et malaise, d'où une recherche constante de satisfaction (principe de plaisir). Le principe de réalité auquel est confronté le moi empêche cependant la pleine réalisation de tous les désirs. C'est donc dire que la vie elle-même et en elle-même est génératrice de frustrations et de souffrance.

Freud s'est tout d'abord penché sur ce problème des conflits intrapsychiques. Il va dans un premier temps découvrir l'existence de deux types de pulsions vitales :

1. les pulsions de vie, les plus archaïques de toutes, et qui correspondent aux instincts et aux besoins de survie ;

2. les pulsions sexuelles (la libido), plus élaborées, et qui correspondent à la somme de nos désirs ainsi qu'à la recherche permanente de leur réalisation. Freud leur donnera le nom mythologique d'Éros (dieu grec de l'amour).

Or ses observations cliniques, mais également les réflexions que susciteront chez lui la barbarie et la boucherie de la Première Guerre Mondiale, vont l'amener à concevoir la présence d'un troisième type de pulsions. Il n'y a pas que la quête de plaisir en l'homme. Il existe également une tendance innée qui va à l'encontre de la préservation de la vie elle-même. C'est la pulsion de mort, ou Thanatos. Elle représente à la fois l'agressivité destructrice présente en nous et à la fois tous les comportements «mortifères» reflétant nos blocages ou encore notre tendance compulsive à répéter sans cesse les mêmes scénarios : tout ce qui, en somme, réprime notre évolution et le phénomène de la vie lui-même. Loin cependant de contredire ses découvertes précédentes, cette notion de pulsion de mort vient les conforter. Puisqu'en effet toute augmentation de l'énergie psychique crée un déplaisir que seule la réalisation de nos désirs pourra calmer, cette dernière ne signifie au bout du compte qu'un retour au stade initial de non-tension. La mort peut donc être conçue comme le but même de l'existence humaine puisqu'elle seule constitue un état de non-tension et de non-souffrance. Autrement dit, notre tendance foncière consiste en une quête de retourner à un état primordial. L'après-mort signifie ici un en-deçà de la vie, et non un illusoire et fantasmatique au-delà de la vie.

Freud appliquera le même raisonnement aux productions de l'esprit religieux. La religion – cette «névrose obsessionnelle de l'humanité» – ne représente pour lui qu'une satisfaction substitutive en réponse à notre trop grande souffrance. Puisque l'ici-bas ne nous apporte que peines, douleurs, pertes et frustrations, nous projetons dans un au-delà imaginaire un bonheur absent de notre monde. Et puisque nous souffrons depuis l'expulsion du bienheureux ventre maternel d'un sentiment de manque – celui d'avoir été coupé d'un univers où nous ne faisions qu'un avec notre environnement (ce même utérus maternel) –, nous projetons dans ce même au-delà un Dieu avec lequel nous ne ferons qu'un. Les expériences religieuses représentent alors une régression psychique, une tentative infantile de retourner à l'état intra-utérin du fœtus. Ici aussi, ce qui est considéré comme une expérience de transcendance se résume à n'être qu'une régression vers un état psychique qui se situe dans un en-deçà de l'existence humaine. Dieu et l'au-delà ne constituent que des projections issues de nos désirs, des illusions tirant leur force de notre détresse.

Le rhizome de Jung

D'abord disciple de Freud, Carl Gustav Jung s'en sépare bientôt et fonde sa propre école : la «psychologie analytique». À l'origine de cette dissidence se dessine entre autres une conception différente de la libido. Selon Jung, celle-ci ne constitue qu'une énergie psychique indifférenciée et non plus d'ordre essentiellement sexuel. Cette divergence initiale de vue amènera cependant Jung à décrire la psyché d'une manière radicalement différente.

Jung, s'il admet l'existence de l'inconscient personnel postulé par son ancien maître, va toutefois émettre l'hypothèse de celle d'une couche encore plus profonde : l'inconscient collectif. Cet inconscient collectif est constitué, outre sa partie personnelle (les contenus refoulés décrits par Freud), par toutes les possibilités de représentation qui sont communes à tous les êtres humains. Ce sont les archétypes. Les archétypes ne sont pas des images : ce sont des dispositions innées et dynamiques de notre psyché à reproduire constamment les mêmes représentations. En somme, ce sont des «cadres vides» porteurs d'une intense énergie psychique.[73] L'archétype de Dieu, par exemple, est universel et, en soi, dépourvu de toute représentation : mais pour qu'il puisse se manifester à la conscience, il devra revêtir une forme symbolique qui variera selon les cultures. Ainsi, les symboles de Dieu sont multiples mais renvoient sans cesse à un seul et même archétype. Le symbole utilisé, par conséquent, manque de clarté dans la mesure même où il ne peut contenir tout le sens qui appartient à l'archétype. Ce n'est pas à notre intelligence rationnelle qu'il s'adresse, mais plutôt à notre intelligence intuitive.

73 Voir Raymond Hostie, *Du mythe à la religion dans la psychologie analytique de C. G. Jung*, Paris, Desclée de Brouwer, Collection «Foi vivante», 1968.

La «topographie» de l'esprit humain que propose Jung ici diffère notablement de celle de Freud. Certes, il y a le moi conscient et l'inconscient personnel ; mais il y a en outre un inconscient commun à toute l'humanité, abyssal de profondeur. L'inconscient lui-même n'est plus conçu comme un réservoir de contenus négatifs ou refoulés : il constitue désormais une composante complémentaire (et compensatrice) de la conscience. Bien qu'il faille encore rendre ses contenus à la conscience, ce n'est plus comme chez Freud dans un sens de délestage et ou guérison des blessures anciennes. L'inconscient devient source de sens. L'équilibre psychique ne réside plus simplement dans le moi, mais dans le moi qui se met à l'écoute des archétypes et cherche à modeler sa vie sur la base d'une harmonisation de ses diverses composantes psychiques. Bref, la finalité ultime de l'existence humaine réside dans une quête de réalisation de la totalité psychique : moi, inconscient personnel et inconscient collectif ; cette totalité psychique étant le Soi, instance unificatrice de la psyché qui se situe à la fois au plus profond de l'âme et qui à la fois l'englobe :

> Le soi est notre totalité psychique, faite de la conscience et de l'océan infini de l'âme sur lequel elle flotte : Mon âme et ma conscience, voilà ce qu'est mon soi, dans lequel je suis inclus comme une île dans les flots, comme une étoile dans le ciel.[74]

---

74 C. G. Jung, *L'homme à la découverte de son âme : Structure et fonctionnement de l'inconscient*, Paris, Petite Bibliothèque Payot, 1962, p. 335.

Cette réunion des diverses instances psychiques sera souvent représentée par le symbole du mariage. Or, la mort se présente souvent dans nos rêves revêtue de la même représentation. C'est que la mort ici signifie que la conscience (individuelle) s'unit à l'inconscient et aux archétypes. Elle devient une voie de réalisation du Soi. Non plus retour à la non-vie (Freud) mais dépassement de la vie. La mort est au-delà. Nous devons cependant apporter quelques nuances à ces propos. Jung, en effet, a toujours refusé d'accorder un quelconque statut ontologique aux archétypes. Ne forment-ils qu'une production de notre inconscient – ils ne sont qu'au-dedans de nous – , sans référence à quelque existence autonome et extérieure ; ou, au contraire, n'habitent-ils pas notre inconscient collectif que parce qu'il y a – au-delà de nous-mêmes – un «Tout Autre» éternel ? L'ambiguïté reste entière.

Cette ambiguïté, susceptible de toutes les interprétations possibles, Jung la délaissera quelque peu quand, au soir de sa vie, il rédigera son autobiographie. Peut-être est-là que, se sentant délivré de l'obligation de l'objectivité, il dévoilera le fond de sa pensée. Il s'y interroge entre autres sur la possibilité d'une quelconque survie après la mort. Il part du présupposé que l'inconscient possède une connaissance beaucoup plus étendue que la conscience. S'il peut nous éclairer sur le sens de la vie, pourquoi ne le ferait-il pas sur celui de la mort, et ce à partir des mêmes éléments : rêves, imaginations et mythes ? Il constate alors – il considère qu'il s'agit d'indices et non de preuves – que tout porte à croire qu'une partie au moins de la psyché continue d'exister après la disparition du corps. Mais quelle est-elle ?

Si nous supposons qu'il y a une continuation «au-delà», nous ne pouvons concevoir un mode d'existence autre que psychique : car la vie de la psyché n'a besoin ni d'espace, ni de temps. L'existence psychique – et surtout les images intérieures dont nous nous occupons déjà maintenant – offrent la matière de toutes les spéculations mythiques sur une vie dans l'au-delà, et celle-ci, je me la représente comme une marche progressive à travers le monde des images. Ainsi la psyché pourrait-elle être cette existence dans lequel se situent l'«au-delà» ou le «pays des morts». Inconscient et «pays des morts» seraient, dans cette perspective, synonymes.[75]

Cette existence *post-mortem* serait toutefois conditionnée par le degré de conscience atteint en cette vie, «limite supérieure de connaissance à laquelle les morts peuvent accéder».[76] Seule la vie terrestre, en effet, c'est-à-dire un lieu d'opposition entre contraires, peut permettre une élévation du niveau de conscience. La vie acquiert par le fait même une valeur inestimable car elle est LE champ d'expériences. Cette façon de comprendre les choses amène tout naturellement Jung à considérer d'un œil prudent mais favorable la doctrine de la réincarnation. Ici cependant, il y a renversement de perspective : le Soi ne constitue plus une projection de la psyché, c'est au contraire lui qui projette notre réalité empirique :

---

75 C. G. Jung, *Ma vie : Souvenirs, rêves et pensées*, Paris, Folio, 1991, pp. 363-364.

76 *Ibid.*, p. 354.

J'avais déjà rêvé une fois à propos du problème des relations entre le Soi et le moi. Dans ce rêve d'autrefois je me trouvais en excursion sur une petite route ; je traversais un site vallonné, le soleil brillait et j'avais sous les yeux, tout autour de moi, un vaste panorama. Puis j'arrivai près d'une petite chapelle, au bord de la route. La porte était entrebâillée et j'entrai. À mon grand étonnement, il n'y avait ni statue de la Vierge, ni crucifix sur l'autel, mais simplement un arrangement floral magnifique. Devant l'autel, sur le sol, je vis, tourné vers moi, un yogi dans la position du lotus, profondément recueilli. En le regardant de plus près, je vis qu'il avait mon visage ; j'en fus stupéfait et effrayé et je me réveillai en pensant : «Ah ! par exemple ! Voilà celui qui me médite. Il a un rêve, et ce rêve c'est moi.» Je savais que quand il se réveillerait je n'existerais plus.

J'eus ce rêve après ma maladie en 1944.[77] C'est une parabole : mon Soi entre en méditation, pour ainsi dire comme un yogi, et médite sur ma forme terrestre. On pourrait dire aussi : il prend la forme humaine pour venir dans l'existence à trois dimensions, comme quelqu'un revêt un costume de plongeur pour se jeter dans la mer. Le Soi renonçant à l'existence dans l'au-delà assume une attitude religieuse, ainsi que l'indique aussi la chapelle dans l'image du rêve ; dans sa forme terrestre il peut faire les expériences du monde à trois dimensions

---

77 Lorsqu'il faillit mourir et vécut une expérience de mort imminente.

et par une conscience accrue, progresser vers sa réalisation.[78]

Ainsi, selon Jung, la vie n'est rien d'autre que le champ d'expérimentation du Soi ; mais un champ nécessaire afin de s'élever dans la conscience. Conscience et inconscient sont indissolublement liés ; la conscience devant suivre la sagesse de l'inconscient ; et l'inconscient devant devenir conscience. Vie et mort ne sont à cet égard que des épiphénomènes. L'existence, c'est la plante qui émerge de la terre ; mais sa vitalité réside dans le rhizome invisible et souterrain. Le rhizome, lui, survit quand la fleur se fane.

2. Les grandes intuitions religieuses

Les différentes traditions religieuses de l'humanité ont, elles aussi – et ce bien avant l'esprit rationnel et scientifique –, tenté de donner une réponse cohérente à l'énigme de la mort. Le rhizome dont parle Jung, elles lui ont donné divers noms : l'âme, l'esprit, l'Atman, et combien d'autres. Or, cette essence spirituelle de l'être humain, elles vont la considérer comme immortelle. Puisque l'âme ne meurt pas, que lui advient-il après la mort ?

Nous allons présenter ici de façon succincte les réponses élaborées au sein des deux grandes traditions religieuses de l'humanité : soit les religions du Livre (judaïsme, christianisme et Islam) et les religions issues du sous-continent indien (hindouisme et bouddhisme). Dans le premier cas prédomine la croyance en une résurrection ; dans le second, celle en une réincarnation ou renaissance.

---

78 C. G. Jung, *op. cit.*, pp. 367-368.

Tout comme le bouddhisme est né d'une religion-mère : le brahmanisme indien, de même le christianisme est-il apparu en continuation (et rupture) de la religion du peuple d'Israël. Cette dernière s'est formée progressivement à partir de la fin du deuxième millénaire avant notre ère. Elle a surgi au sein d'un peuple de nomades sémites : les Hébreux. Le Dieu de ce peuple est tout d'abord conçu comme un dieu national. C'est un Dieu intransigeant et patriarcal : il exige sacrifices et pureté rituelle, en échange de quoi il promet la victoire, la paix et la prospérité aux enfants d'Israël. Il est le «Dieu des vivants», et la rétribution des mérites et des torts s'effectue dès cette vie. À l'instar de nombreux peuples de l'Antiquité, les Hébreux ne conçoivent l'au-delà que comme un lieu habité d'ombres, sans espoir et sans joie. C'est le Schéol, équivalent de l'Hadès des Grecs.

Cette vision des choses commencera cependant à se transformer sous le coup des invasions étrangères, des défaites successives et surtout du constat de l'injustice de la vie. La voix rude des prophètes s'élève alors appelant à une réforme des mœurs, une plus grande justice sociale et une intériorisation de la religion. Le sacrifice demandé par Dieu devient de plus en plus celui du cœur humain, c'est-à-dire la pureté des intentions et des actes. Parallèlement, et surtout après le retour de l'exil de Babylone, émerge lentement une autre conception de l'au-delà. Celle-ci s'affermira après la révolte contre les occupants grecs vers le deuxième siècle avant Jésus-Christ. Le Schéol fait place à la croyance de plus en plus répandue en la résurrection des morts. Cette résurrection, d'abord conçue comme étant celle, collective, du peuple d'Israël, s'appliquera finalement à tous les justes. Ainsi, un des sept frères martyrs dit-il au roi Antiochus, qui le condamne au supplice pour avoir refusé d'enfreindre la Loi mosaïque : «Scélérat que tu es, tu nous exclus de cette vie présente, mais le Roi du monde nous ressuscitera pour une vie éternelle, nous qui mourons pour ses lois.» (2 M 7 ;9).

Cette croyance nouvelle intègre la notion éthique de jugement des âmes et de rétribution individuelle. Elle ne fait toutefois pas l'unanimité. Si les Pharisiens y adhèrent, les Sadducéens, quant à eux, persistent à la rejeter.

Entre-temps, un modeste prophète, le rabbi Yéshoua (Jésus), est né, a prêché et a été exécuté. Il avait rassemblé autour de lui un groupe de disciples qui proclameront bientôt que leur maître est revenu à la vie et qu'il est ressuscité. Cette foi en la résurrection du Christ sera déterminante dans l'édification de la nouvelle religion en gestation. Le Christ mort pour nous et re-suscité par Dieu se trouve au centre de la prédication apostolique. Jésus est le premier-né d'entre les morts (Ac 26, 23), «prémices de ceux qui se sont endormis» (I Co 15, 20).

Il nous faut ici aborder deux thèmes reliés entre eux : celui de la signification de la mort, et celui de la résurrection proprement dite. Dieu, dans la perspective biblique, n'a pas fait la mort. Cette dernière n'apparaît qu'avec le péché d'Adam. En d'autres termes, c'est le péché qui nous conduit à la mort. Or, quel est le péché d'Adam ? Bien sûr, il s'agit de la transgression d'un interdit – manger du fruit de l'arbre défendu – mais, au-delà de cet acte, se profile en fait le refus de l'homme de dépendre de Dieu. Celui qui ne veut dépendre que de lui-même s'éloigne par là-même des autres et de l'amour, d'où la sentence de Thomas d'Aquin : «L'amour désordonné de soi-même est la cause de tous les péchés.»[79]. Et puisque le péché consiste dans son essence en un refus de l'amour, il ne sera pardonné que dans le mesure où l'homme convertira son cœur : bref, qu'il se renoncera lui-même. Là réside la vie éternelle.

La vie du Christ manifeste ici-bas l'amour inconditionnel de Dieu, de même que sa mort consentie pour nous montre le chemin de la rédemption. Le Christ se présente ici comme le modèle parfait à suivre et sa propre résurrection devient le signe annonciateur de la nôtre. Se pose alors la question de la nature même de cette dernière. Si notre vie perdure au-delà de la mort, qu'est-ce qui survit ? La première conception qui émergera sera celle de la résurrection collective à la fin des temps, cette résurrection concernant la personne entière. Les religions issues de la Bible refusent en effet de faire de l'âme une entité (immortelle) séparée du corps. Que se passe-t-il cependant d'ici le dernier Jour ? Très rapidement, en effet, la notion de jugement particulier survenant tout de suite après la mort (individuelle) va surgir, en attendant le grand Jugement cosmique et eschatologique. C'est au Moyen Âge que l'on va fixer la représentation classique de l'au-delà. Celui-ci est décrit comme trois «lieux» différents comportant chacun des degrés :

---

79 «*Inordinatus amor sui est causa omnis peccati*», Thomas d'Aquin, *Somme théologique*, I, II, qu. 77, a. 1.

1. le paradis, où vont les justes, lieu de la vision béatifique de Dieu ;
2. le purgatoire [80], lieu intermédiaire et temporaire de purification ;
3. l'enfer, qui, comme le ciel, constitue un séjour définitif : soit celui des pécheurs qui ont rejeté Dieu.

À la fin des temps surviendra le Jugement définitif. Ce n'est qu'alors que l'âme sera réunie au corps «glorieux» et impérissable dans le cadre d'une nouvelle Création (les «nouveaux cieux et la nouvelle Terre»). Notons simplement avant de terminer que la réflexion théologique contemporaine sur l'au-delà privilégie la notion d'états plutôt que de lieux .

LES RELIGIONS ORIENTALES

Contrairement aux religions du Livre, les religions issues du sous-continent indien adoptent une vision cyclique, et non linéaire, du temps. Il n'y a pas de fin du monde, mais fins et recréations successives du monde ; de même, la vie terrestre n'est pas unique. Elle ne représente qu'un moment dans un cycle infini de morts et de renaissances. L'hindouisme et le bouddhisme vont cependant diverger dans l'interprétation de ce qui meurt et renaît, ainsi que dans leur conception de l'état final de libération.

Selon l'hindouisme, l'origine, l'essence et la finalité de l'univers se situent dans le Brahman. Tout ce qui existe est le Brahman, mais le Brahman est lui-même au-delà de tout ce qui existe. Ce que nous

---

80 La notion de purgatoire n'est fixée qu'au XIIIè siècle. Elle est propre aux catholiques : tant les orthodoxes que les protestants la rejettent.

appelons Création représente en fait une projection de l'Un au multiple, du non-manifesté au manifesté, et ce au travers d'une différenciation progressive entre une énergie et une matière. Le monde matériel ne constitue à cet égard qu'une illusion. Et puisque notre individualité repose sur une distinction factice entre le moi et le non-moi, elle aussi est illusoire. C'est donc le sens de l'ego qui génère la souffrance.

Dans une série infinie d'incarnations, l'âme fait l'erreur de s'identifier à ses habitations temporaires à l'intérieur de différents règnes. Ceux-ci vont du minéral au plan mental – c'est-à-dire le plan humain – sans que l'on puisse parler d'un progrès constant, les régressions à un stade inférieur étant toujours possibles. Après la mort, soit entre deux incarnations, se trouvent des enfers et des paradis – eux aussi temporaires et non éternels – où l'âme sera rétribuée d'après les bonnes ou mauvaises actions commises durant la vie. Il n'existe donc rien, selon cette perspective, qui soit définitif ou irrémédiable. Par contre, l'enchaînement des incarnations n'en constitue pas moins un emprisonnement dont l'âme doit se libérer.

Deux problèmes se posent ici : qu'est-ce qui se réincarne ? Et, en quoi réside cette délivrance ? Nous devons préciser que le concept occidental d'âme est radicalement différent de celui développé en Inde. Dans la doctrine hindoue, ce qui persiste après la mort et qui se réincarne, c'est le Soi (l'Atman) :

> Ainsi que l'homme dépose les vieux vêtements
> Pour en prendre d'autres et de nouveaux

De même l'Incorporé dépose les vieux corps
Pour entrer en d'autres et en de nouveaux.[81]

Nos actes – positifs et négatifs – ne portent pas nécessairement leurs fruits au cours de la même existence. Ils comportent cependant des effets inévitables qui, d'après la loi du karma, nous enchaînent au cycle des vies successives. Que faire par conséquent afin d'échapper au karma et rompre cette ronde interminable ? La solution consiste dans la reconnaissance de son être essentiel au-delà des apparences, l'Atman identique au Brahman. Cette délivrance peut survenir à la mort mais elle peut également se produire dès cette vie.

Le bouddhisme ne reconnaît pas le Brahman. De même ne conçoit-il aucun Soi : l'homme est simplement un «nom et forme» composé de cinq agrégats ou fonctions :

1. il est une «forme» : c'est le corps physique ;
2. et il est un «nom» : c'est sa dimension psychique, elle-même divisée en quatre agrégats :
   - la sensation
   - la perception (faculté de reconnaître)
   - les dispositions mentales
   - la conscience.

C'est, ici aussi, l'ignorance qui enchaîne au cycle des renaissances successives. Tant que l'être humain demeure attaché au sens de l'ego et à ses désirs, il continuera de souffrir et d'être prisonnier de la loi karmique. La délivrance ne proviendra cependant pas, comme dans l'hindouisme, de sa réidentification au Brahman, mais plutôt dans l'il-

---

81 *Bhagavad Gita*, II, 22.

lumination et la réalisation que tout est impermanent, que tout est souffrance et que tout est dénué d'un Soi. Alors le *nirvāna* est atteint, avant ou au moment de la mort. Quant à la nature de ce *nirvāna*, elle est impossible à cerner et à décrire, sinon par le fait qu'elle est dépourvue de toute souffrance et non conditionnée.

Il semble donc que nous pouvons envisager la question de la signification de la mort selon deux grandes interprétations. D'après la première, représentée ici par la théorie de Freud, elle est un non-sens parce qu'elle ne représente en bout de ligne que l'extinction de ce qui était vivant. D'après la seconde, il est envisageable de concevoir et/ou d'espérer que la mort ne soit qu'un passage. Malgré des opinions parfois diamétralement opposées, nous pouvons discerner un point commun : s'il y a survie après la mort, ce n'est pas celle du moi. Tout au contraire : le travail du mourir consiste en une sorte de décantage. Si au-delà il y a, il s'agit avant tout d'un au-delà du moi.

CONCLUSION

Nous avons tenté de cerner dans cet ouvrage la signification symbolique, psychologique et spirituelle de cet impitoyable travail sur soi-même que représente le mourir. Le moment est maintenant venu de synthétiser les résultats de notre réflexion.

Nous avons d'abord comparé le processus du mourir avec celui de la voie mystique. En considérant cette dernière sous un angle non pathologique, mais plutôt comme l'art de la vie spirituelle, nous l'avons décrite en termes de processus de désidentification/réidentification et de transcendance de soi. Il s'agit ici de déplacer graduellement le centre de gravité du monde des sens au monde psychique, puis du monde psychique au monde spirituel. Dans les termes d'Arthur Deikman, il s'agit de substituer un mode de conscience réceptif, intuitif et unitif au mode de conscience égocentré ordinaire, actif, rationnel et discursif – et dont la raison d'être consiste à satisfaire aux besoins de survie biologique et psychologique de l'individu.[82] La Triple voie mystique – purgative, illuminative et unitive – représente en ce sens un processus continu de transcendance de l'ego visant à l'union avec Dieu (ou le Divin). Ces diverses étapes sont elles-mêmes parcourues par des «nuits» purificatrices successives de plus en plus intenses et profondes, marquées par des sentiments d'isolement et d'abandon total.

---

82 Arthur Deikman, «Deautomatization and the Mystic Experience», *Psychiatry*, no 29, 1966, p. 324.

L'union à Dieu ne peut en effet survenir qu'après le renoncement à toute quête égoïste, à toute conscience de soi, et au-delà de toute peur ou de toute joie encore liées à l'«amour mercenaire». Le cheminement aboutit à la «mort mystique», qui vérifie pleinement la partole de l'Évangile : «Si quelqu'un veut me suivre, qu'il se renonce soi-même» (*Mathieu* XVI :24).

Nous avons essayé de démontrer la parenté d'un tel schéma avec les diverses étapes du mourir. Tout comme dans le cas de la conversion initiale du mystique, en effet, le processus s'enclenche après un choc : soit celui de l'annonce de sa mort prochaine. Si ce dernier ne révèle pas l'existence de l'Absolu, il fait toutefois prendre conscience au mourant de son corollaire : la vanité et l'impermanence de toute chose et de tout être. Tandis que les sens du sujet s'amenuisent peu à peu, celui-ci traverse au niveau psychologique et spirituel une suite de «nuits» où prédomine l'isolement. Cette souffrance débordante accule le mourant au pied du mur, le contraint à reconnaître son impuissance et à se resituer. Il requestionne dès lors sa vie et les priorités que, jusque là, il avait adoptées. Il pose la question du pourquoi. La quête de sens refait alors dramatiquement surface et c'est du fond de son état dépressif – état dépressif qui parachève de détruire la prédominance du moi – que la paix peut resurgir. Une paix chèrement payée, résultant d'un pénible travail de détachement et conduisant à l'acceptation et à la soumission de l'être entier.

Le sens symbolique des deux processus que nous avons rapprochés se montre par conséquent similaire. Il réside dans les deux cas dans une série de dépouillements successifs.

Nous avons par ailleurs replacé ces deux processus dans une une même dialectique activité-passivité. En effet, si l'entrée dans le processus s'effectue de manière passive dans les deux cas (choc de l'annonce de sa mort dans le premier ; «choc» de la conversion mystique dans le second), la voie purgative se caractérise par un aller-retour entre les modes actif et passif. Nous pouvons alors rapprocher le mourir d'une purification passive, mais ce à condition de désigner la vie (passée) du mourant comme un équivalent sémantique de l'ascèse mystique. Dans les deux cas, en effet, ce sont ces dernières qui prédisposent le sujet à «recevoir» les purifications passives. La réponse du mourant, tout comme celle du mystique d'ailleurs, dépend par conséquent de l'attitude qu'il aura acquise dans son existence, notamment face aux pertes et à la dynamique du détachement.

Nous avons finalement cherché des réponses sur le sens de la mort et la possibilité d'un au-delà dans les grands courants de la psychologie des profondeurs et des principales traditions religieuses. Si, pour Freud, la mort est absurde et se résume à un retour à l'état de non-tension et de non-vie, par contre nous pouvons remarquer une certaine convergence entre la pensée de Jung, l'interprétation chrétienne et les croyances orientales. Par-delà leurs divergences de vue réelles, ces trois approches décrivent la finalité de l'être comme une désidentification avec cette partie superficielle de nous-mêmes que nous appelons le moi. En somme, là aussi nous sommes parvenu à des conclusions similaires à celles que nous avions développée dans les chapitres précédents.

Nous n'avons traité jusqu'ici que du premier versant symbolique de la mort – celui du dépouillement – tout en nous interrogeant sur la possibilité d'un au-delà. Dans un prochain ouvrage, nous aborderons de plain-pied le second visage de la mort: celui de la mort-renaissance. Nous nous baserons cette fois sur les expériences de mort imminente en les décrivant comme un approfondissement – ou un *ersatz*, le cas échéant – du processus du mourir, reconduisant en accéléré la même logique de détachement mais menant cette fois à un renversement symbolique de la mort. Elle se présentera alors, de même que dans le cas de la «mort mystique», comme la grande porteuse du Sens en même temps que la mère nourricière de la vie.

TABLE DES MATIÈRES